Filip David

KUĆA SEĆANJA i ZABORAVA

Treće izdanje

BIBLIOTEKA
MERIDIJAN
Knjiga br. 46

KUĆA SEĆANJA i ZABORAVA

I konačno, bivajući svako ili bilo ko, on će nam se ukazivati kao da nije Niko posebno. A ovo nas vodi njegovoj prvoj podvali, to jest sumnji u samo njegovo postojanje.
DENI DE RUŽMON, *U zagrljaju Đavola*

Odjedanput otkriješ da te nema. Da si razbijen na hiljadu komada, i da svaki komad ima svoje oko, nos, uvo... Gomila krhotina...
LJUDMILA ULICKA, *Ljudi našeg cara*

Postoje samo dva načina da se proživi život. Jedan je kao da ništa nije čudo. Drugi je kao da je sve čudo.
ALBERT AJNŠTAJN

Sadržaj

Buka

Taj zvuk... često se javlja. Voz u pokretu. Točkovi voza u pokretu. U početku nisam mogao da odredim odakle buka dolazi. Budila me je usred noći. Ustajao sam, otvarao prozore, pokušavao da u noći otkrijem izvor buke. Uzalud. Nigde u blizini nije bilo pruge ni železničke stanice.

Pokrivao sam uši šakama, gurao glavu pod jastuk. Ništa nije pomagalo. Uporna, jednolična, buka nije prestajala.

Bum-čiha-bum-bum-čiha-bum.

Oblačio sam se, izlazio iz kuće, lutao pustim ulicama u nameri da pobegnem što dalje od jednoličnog zvuka voza u pokretu.

Zvuk me je pratio. Bio je sa mnom, u meni, neuništiv. Dovodio me je do ludila.

Bum-čiha-bum-bum-čiha-bum.

Odjednom je prestao. Ali znao sam da će se ponovo javiti. Svaki put sve glasnije, upornije, nepodnošljivije.

Uvod
(iz dnevnika Alberta Vajsa)

U kojem se pripoveda o slučajnom susretu gde se postavlja pitanje da li je naša sudbina unapred određena, objašnjava šta je to dajmon i dolazi do zaključka o nekim životnim zabludama.

Početkom 2004. učestvovao sam na međunarodnom skupu u beogradskom hotelu *Park* pod nazivom „Zločini, pomirenje, zaborav" koji je organizovala Evropska unija. Sastanak je, kao i mnogi slični te vrste, proticao uglavnom u akademskoj atmosferi. Najviše vremena potrošeno je na uzaludne pokušaje da se definiše sama priroda zla, i odredi njegova filozofska, teološka, pa i ljudska suština. Zlom nazivamo mnogo toga – od prirodnih katastrofa i bolesti pa do nasilnih umiranja, ratova, zločina. Ali kada je reč o samom zločinu uglavnom se ponavljala priča o banalnosti zla, teza koju je iznela Hana Arent posle suđenja Ajhmanu u Jerusalimu. Mnogi od govornika isticali su kako je gospođa Arent posle ovog saznanja konačno mogla mirno da spava sa uverenjem da se zločin razmera Holokausta više nikada neće ponoviti a što bi se moglo dogoditi u slučaju da je zlo nešto metafizičko, van ljudskog poimanja. U hotelu *Park*, u toku izlaganja različitih referata, zapazio sam u poslednjem redu čoveka koji je sve pažljivo slušao, ali nije pripadao krugu učesnika.

Večeri posle skupa u prostranoj trpezariji hotela *Park* prolazile su u zanimljivim razgovorima sa mnogo manje napetosti i više opuštenosti jer se većina nas poznavala dok smo živeli u zajedničkoj domovini, delili slične uspomene, a i prijateljstva. Gotovo anegdotski prepričavane su jezive priče o kriminalcima, ubicama i pljačkašima, koji su puštani iz zatvora i odlazili na prve borbene linije, o susedima koji su jedni druge klali u probuđenoj fanatičnoj verskoj i nacionalnoj mržnji. Zlo je bilo objašnjavano ili kriminalnom prošlošću ili zatucanošću, lošim vaspitanjem i obrazovanjem, greškom u karakteru, tradicionalnim mentalitetom, manipulacijama političara, dakle svim onim što je ljudskoj prirodi svojstveno, a ne strano. U svim tim pričama provlačila se misao koja je išla u prilog tumačenja zla kao nečeg prizemnog, prostačkog, nečeg zaista banalnog i objašnjivog.

– Razumeti, znači i opravdati – usprotivio se opštem tonu razgovora jedan glas. – To su reči jednog velikog pisca koji je iskusio ogromne razmere zla i zločina. I koji je rekao da bi trebalo izmisliti novi jezik kada se razgovara o zlu, jer se ovim našim načinom govora i razmišljanja dubina zla ne može iskazati.

Za trenutak je zavladala tišina. Prepoznao sam onog neznanca iz poslednjeg reda sale za konferencije.

– Dolazim nepozvan na ovakve skupove da čujem sva moguća tumačenja, u pokušaju da shvatim prirodu i moć zločina protiv kog nemamo odbrane, pred čijom smo sudbinskom snagom nemoćni.

Možda bi negde drugde ove reči delovale neumesno, čak, tragikomično, ali čovek je govorio smireno, sa hipnotičkom samouverenošću, što je učinilo da bar za trenutak žamor prestane i prisutni počnu pažljivo da ga slušaju. A on je nastavio:

– Voleo bih da objašnjenje bude tako jednostavno kakvo se danas čulo u nekim izlaganjima: da su zlo i zločin samo delo kriminalnih tipova, zločinačkih ideologija, izmanipulisanih ljudi i ostrašćenih fanatika. Da sam sebe mogao uveriti u ono u šta je Hana Arent poverovala, možda bih i ja mirno spavao. Ali, moj san je samo jedna grozna, neprekidna mora, jer takva tvrđenja nisu dokazana niti su čime potkrepljena, ona nas samo zavaravaju u našim iluzijama da smo zločin stavili pod kontrolu time što smo mu dali čisto ljudski lik.

Konobar je u tom času doneo novu turu pića, pa je početna pažnja popustila. Učesnici skupa opet su zagalamili, i kako to često biva u ovakvim društvima, neko je dobacio neumesnu šalu na račun nezvanog gosta pa tek započetu tiradu više nisu slušali. Tada se ovaj čovek okrenuo prema meni, kao najbližem, uporan da nađe bar jednog slušaoca za svoju priču.

– Prvi put sam o samoj prirodi zločina razmišljao još kao dete, kada sam se suočio sa užasom neshvatljivog umiranja, nepravednog, besmislenog, kako hoćete. Znate, neko proživi čitav svoj vek a ne vidi mrtvog čoveka, a neko se guši od neprekidnog prisustva smrti i na javi i u snu. Bilo mi je deset godina kada je počeo Drugi svetski rat. Živeo sam sa roditeljima u provincijskom gradiću koji su okupirali Nemci. U našu kuću se uselila jedna folksdojčerska porodica. Imali su sina nešto starijeg od mene. Počeli smo da se družimo. Jednog dana mi on kaže da je moj otac uhapšen i da će ga popodne streljati zajedno sa ostalim taocima. Ispričam to majci, kaže da su to dečje izmišljotine, otac će biti pušten. Ali moj novi drug me uhvati za ruku. 'Ja nikada ne lažem, čuo sam od tate. Idemo da vidiš!' Povede me do nekadašnjeg fabričkog dvorišta, sakrijemo se iza zemljanog nasipa. Nismo dugo čekali. Nemci postaviše dva mitraljeza, a zatim iz baraka izvedoše grupu ljudi vezanih ruku. Među njima sam prepoznao oca. Tu, pred našim očima zapucaše. Video sam oca kako pada. Bio je snažan, visok čovek, u najboljim godinama, nikada ni od čega nije bolovao. Ta besmislena očeva smrt, čiji sam svedok bio, pratila me je kroz čitavo detinjstvo i mladost. Da, to je bilo najužasnije osećanje: shvatiti da se neki takav zločin događa bez smisla i razloga, da smrt može zadesiti nekoga nasumice odabranog među hiljadama, slučajno ulovljenog na ulici. A svoje ubice nije ni poznavao, niti su oni poznavali njega, bila je to potpuno apsurdna smrt, grozan zločin. Od toga dana sam zanemeo, oduzela mi se moć govora, dugo je trebalo da ponovo počnem da govorim, uz svesrdnu pažnju moje majke i brigu i ljubav moje mlađe sestre.

Buka za stolom se povećavala kako su stizale nove boce vina. Na nezvanog gosta svi su zaboravili, osim mene koji sam, što iz znatiželje, što iz pristojnosti, slušao njegovu ispovest.

– Sada, kada naknadno prosuđujem, jasno mi je da je taj tragičan događaj označio moju dalju sudbinu, da je bio utiskivanje žiga, 'skerletnog slova' koje će zanavek obeležiti moj život. Znate, to je ono što ja pokušavam da dokažem vama, koji se teoretski bavite pitanjima zločina i kazne, žrtava i dželata – da se sve to ne može sasvim shvatiti razumom, ali ni emocijama, da postoji nešto iznad toga. Stari Grci su tu snagu 'vodiča koji ide uz nas i koji se seća našeg pozvanja' nazivali 'dajmon'.

Moj sagovornik tu za trenutak zastade.

– U svakom čoveku obitava tajanstveno, nesaznatljivo, neljudsko, nematerijalno biće koje upravlja njegovom sudbinom. Moja majka je odvedena u jedan od logora i tamo je skončala a da zapravo nije videla lica svojih ubica. I ta je smrt bila anonimna. Kao i nasilna smrt moje sestre na dan oslobođenja od ruke pomahnitalog borca koji je dobio živčani napad i počeo da ubija redom sve koji su mu se našli u blizini. Ne tako davno, izgubio sam i kćer. Stradala je od snajpera u Sarajevu. Ne može se tu govoriti o banalnosti zločina, moj gospodine, nego o dajmonu koji je nekome anđeo čuvar a nekome sudija i izvršilac, o delovanju nečeg moćnog i nedodirljivog, nečeg što ne umemo da rastumačimo. Uveren sam da svaki pojedinac, svaka porodica, čitavi narodi, imaju nad sobom tu tajanstvenu silu koja se naziva dajmon. Ona ih vodi, spasava ili uništava. Zar se može raspredati o banalnosti zla, kada su sve ove smrti, smrti mojih najdražih, ali i smrti mnogih drugih, iako zadate ljudskom rukom, zapravo delo ubica bez lica, anonimnih dželata koji uopšte nisu poznavali svoje žrtve. Ja sam, za razliku od gospođe Hane Arent čije teze o banalnosti zla ovde prihvataju, uveren da je zlo kosmičko, iracionalno, nezaustavljivo. Greh, kazna, opraštanje, uteha – sve rasprave o tome su besmislene i lažne.

Video sam kako se u uglovima očiju ovog čoveka pojavljuju suze. Obrisao ih je rukom. Želeo sam da nešto kažem, izrazim zadocnelo saučešće, ali ništa nisam izustio. A on, kao da se postideo posle svega što je rekao. Ustade, okrete se bez pozdrava i izađe. Nisam stigao ni da ga pitam za ime; nismo se, zapravo, ni upoznali.

Možda bih vremenom zaboravio na ovaj susret i neobičnu ispovest da se nije dogodilo nešto što je sećanje obnovilo. Pre neki dan su u televizijskim vestima javili o bombaškom napadu poremećene osobe na autobus pun putnika. Prikazane su fotografije žrtava. Na jednoj, prepoznao sam čoveka koji mi je one večeri pričao o nemilosrdnom, nasilničkom dajmonu, o mitskom biću koje nas povezuje sa onostranim.

Hoćemo li ikada pouzdano saznati nešto više o tom skrivenom, tajanstvenom glasniku života i smrti, anđelu spasenja i anđelu uništenja koji iz duboke senke određuje našu sudbinu?

Albertov san

Albert sanja uznemirujući san.

Nalazi se na usamljenoj provincijskoj železničkoj stanici. Stanična zgrada je oronula, sa zidova otpada malter. Iza dva prljava prozora naziru se lica staničnog osoblja. To su ružna, staračka lica isluženih poštanskih i železničkih službenika.

Sve je u pretećem polumraku. Nebo je sivo, na okolna polja spustila se magla.

Albert stoji na peronu i čeka. Ne zna šta čeka i koga čeka.

Odjednom se iz polumraka pojavljuje grdosija sa dva užarena oka. Lokomotiva vuče desetinu vagona. Čuje se samo kloparanje točkova. To kod Alberta izaziva osećanje straha. Čak panike. Hteo bi da utekne sa tog perona na koji je dospeo ni sam ne znajući kako. Ali, ne može.

Crna lokomotiva vuče za sobom neosvetljene vagone.

Voz ulazi u stanicu, malo usporava, ali se ne zaustavlja. Dovoljno da Albert vidi lica priljubljena uz prozore vagona. To nisu lica živih ljudi.

To su mrtvaci a posredi je voz mrtvih.

I u toj jednoličnoj buci koja izaziva jezu i užas, do Alberta se probija glas koji nadjačava svaku buku, dečji glas.

– Braco, spasi me! Ovde je tako mračno!

To je glas njegovog malog brata, Elijaha.

Dovikne mu: – Ne plaši se, Eli, ovde sam!

Može samo pogledom da isprati voz koji se udaljava.

Budi se u znoju. San se duboko urezuje u njegovu svest.

Prvo poglavlje

Koje je posvećeno razmišljanjima o granicama
dopuštenog i pokušajima da se ta granica pređe.
Iz dnevnika Alberta Vajsa.

Beleške u dnevniku su ispunile mnogo listova hartije, bilo je vremena kada sam pisao iz noći u noć, ponesen nekom, usudio bih se reći, ludačkom energijom, beležio sam i najsmelije misli, najčudnija svedočanstva i doživljaje za koje sam verovao da me približavaju objašnjenju smisla svega onoga što smo preživeli. I kada sam poverovao da izlazim iz tog mračnog, komplikovanog lavirinta, da sam sve bliži razumevanju tajnog mehanizma njegovih zamršenih puteva, odjednom su svi prolazi počeli da se zatvaraju, ruka me je izdavala, misli su se pretvarale u haotične nepovezane rečenice. Prestajao sam da pišem, da beležim, da budem svedok, nije mi više polazilo za rukom da uobličim nijednu suvislu misao. Ono što sam danju ispisivao na belom listu hartije, noću se samo od sebe brisalo, nestajalo, kao da nikada nije zabeleženo. Ponekad bih u nekoj vrsti ponesenosti uobražavao da pišem „crnim ognjem po belom ognju" kako je pisana mistična Tora. Ne daj Bože da sebe upoređujem sa tajanstvenim piscem teksta koji je mnogo više od samog teksta, koji je život sam, egzistencija za sebe, živi organizam koji u sebi sadrži istovremeno i smisao svog postojanja. Povremeno sam imao utisak da reči koje ispisujem na hartiji ostavljaju svoj vatreni znak stvarajući na mojim rukama bolne opekotine, što se nekada događalo, kako se može saznati iz drevnih rukopisa, znatiželjnicima koji su nedovoljno pripremljeni pokušali da otkriju znanja i tajne koje nose pečat viših sila.

U strahu da sam prešao granice dopuštenog, ostavljao sam delove rukopisa nedovršene i rasute. Prestajao sa pisanjem, rukopise odlagao u ostavu, od dna do vrha ispunjenu sličnim hartijama. Desetak dana, nekada i duže, čuvao sam ispisane strane u tom skrovištu, čuvao ih od koga? Od sebe samog? Ne znam. Znam samo da sam ponovo prelistavajući te hartije nailazio uglavnom na nečitljive i zbrkane tekstove. Nešto se sa mojim rukopisima u međuvremenu događalo. Otkrivao sam, u to se mogu zakleti, delove dopisane rukopisom sličnim mome, što je, slutim, trebalo da me dovede u potpunu pometnju, da poverujem kako gubim razum i tonem u ludilo. Poruka je, verujem, zapravo trebalo da bude: ima oblasti u koje nije dozvoljeno ulaziti, koje su pod nadzorom sila većih i moćnijih od ljudskih.

Bilo je trenutaka kada mi se ruka sama od sebe zaustavljala, a svest mutila. Obuzimala me je malaksalost, jedva sam mogao da ustanem, pridržavajući se za neki siguran oslonac, tlo ispod mene se ljuljalo, hvatala me je nesvestica. Nepoznata bolest obarala me je u krevet a u glavi mi je nastajao haos. Pokušavao sam da zavladam sopstvenim razorenim umom ne shvatajući šta mi se i zašto događa.

Lekari nisu uspeli da odrede vrstu moje bolesti. Simptomi: nesvestica, visoka temperatura, bolovi u svim delovima tela, snovi opominjući, teški, mučni, glas samo za mene čujan, preteći, opomena i poziv da prestanem sa svojim pisanjem.

Pokušavam da otkrijem zašto je bilo toliko nesreće u ljudskoj sudbini, kako se to iz mirnog i sređenog života ulazi u nemirna, poremećena vremena, a život gubi svaku vrednost. Odakle dolazi, gde se skriva to zlo koje sve okrene naopako, a onda se povlači ostavljajući iza sebe pustoš u ljudima i oko njih?

* * *

Suprotstavljam se stanju očajničke bespomoćnosti i unutrašnjoj panici tako što se opustim i zatvorim oči. Udahnem kroz obe nozdrve, zamišljajući kako vazduh prolazi kroz čitavo moje telo, ispunjavajući ga novom energijom. Primenjujem ono što se naziva „jednostavne vežbe disanja", iz tačke koja je beskonačno udaljena, s ivice svemira. I tada osetim olakšanje, ne dugotrajno, ali ipak olakšanje.

Izgleda, a u to sam sve više uveren, neke se stvari ne smeju ili ne mogu napisati. Ne zato što niko to ne želi nego zato što nije dopušteno. Ne ljudskom voljom, nego nekom voljom koja je u stanju da obuzda ruke koje pišu, glavu koja misli, silom koja je jača od svega što jesmo, što smo bili ili što ćemo biti.

Drugo poglavlje

*Posvećeno sećanjima na oca i
njegove proročke vizije.*

Moja najranija sećanja sežu daleko i duboko u prošlost. U pamćenje mi se urezao strogi ali pravedni lik mog dede, poljskog rabina iz Lavova. Otac nije nastavio porodičnu tradiciju, pripadao je struji prosvećenih Jevreja koji su se odricali tradicije, govorili poljski, ruski i nemački, stideli se jidiša kao govora srednjoevropske jevrejske sirotinje. Moju majku upoznao je sasvim slučajno na jednom proputovanju kroz Srbiju. Bila je iz sefardske porodice. To su oni Jevreji koji su proterani iz Španije, njihov jezik bio je ladino, mešavina starog španskog i slovenskih reči. Njen otac držao je u K. trgovačku radnju. Porodica je bila brojna, sa devetoro dece. Na počasnom mestu u stanu, u ormanu iza staklenih vrata, među porcelanskim tanjirima, pored menore na sedefastom postolju nalazio se poveliki, masivni ključ, stara porodična relikvija prenošena sa kolena na koleno, preko dede, pradede, pa dalje, ključ kapije kuće u Sevilji, odakle su se Berahe, naši preci po majčinoj liniji, iselili, oterani pod pretnjom inkvizicije a po naredbi kraljice Izabele. Ključ je sačuvan kao već izbledela čežnja za Španijom, sećanje na jednu davnu porodičnu sagu. To je pripovest o mladom Simonu Berahi koji posle brodoloma stupa na tlo Mediterana i pridružuje se grupi hodočasnika. Na putovanju sa hodočasnicima, od svetilišta do svetilišta, slušao je čudesne priče i doživeo niz avantura. Ove priče su se u našoj porodici usmeno prenosile u obliku predanja u kojem su objedinjeni stvarni događaji i kabalističke alegorije. To su zapravo priče o dugotrajnom lutanju, o izgnanstvu, bezdomnosti, životu koji nas neprekidno opominje da smo samo gosti u jednom stranom svetu.

Otac i majka su se sreli dvadesetih godina prošlog veka i, kako to sudbina često namešta, slučajni susret na jednoj porodičnoj zabavi odlučio je o njihovom budućem životu. Brakovi između Aškenaza i Sefarda nisu bili česti. Aškenazi su, kao u slučaju moga oca, bili predstavnici jevrejske aristokratije, a Sefardi, nekada ponositi deo španske kulture, vremenom su postali tipična balkanska i jevrejska sirotinja.

Po nekoj rođačkoj liniji otac je bio u srodstvu sa čuvenim Hudinijem čije je pravo ime bilo Erik Vajs. Erik je bio jedno od šestoro dece rabina Majera Vajsa. Ovaj veliki iluzionista usavršio se u umetnosti bežanja iz zatvorenih prostora, oslobađanja od lanaca, veštini koja se graničila sa nemogućim. Otac je često u šali, ali kasnije i sasvim ozbiljno, govorio kako svi Vajsovi dele to nasleđe.

Bliski očev rođak dobio je ime Erik po slavnom iluzionisti. Taj rođak je jedan od malobrojnih iz porodice Vajs koji je preživeo Holokaust ali mu se kasnije gubi trag. Po nekim neproverenim glasinama posle svega što je doživeo završio je u azilu za duševne bolesnike.

Otac se 1937. vratio sa službenog puta po Austriji i Nemačkoj vratio veoma zabrinut. Hitler je već osvojio vlast, nacisti su doneli svoje zakone o rasama. Nije bilo moguće zaustaviti događaje koji su sledili.

Otac je govorio kako se svet oko nas zatvara i postaje opasan, a da on, glava porodice, mora smisliti način da nas sačuva i zaštiti. Njegova slika o uređenom svetu raspala se. U svetu uređenom po prirodnim i društvenim zakonima ne bi bilo moguće sve ono što se događalo. Jasno je video zlo koje se približavalo u strašnom naletu. Jedan svet za koji se verovalo da je uređen, da u njemu postoje neke neprikosnovene vrednosti, nalazio se pred raspadom, pred nestajanjem. Zlo se širilo velikom brzinom, skoro da nije bilo vremena da se nešto preduzme. Sve se odjednom preokrenulo. Mnogima nije bilo jasno kako i zašto.

Naš život povezan je sa svim drugim životima, čak i kada to ne želimo. Čitav svet je jedna knjiga, sastavljena od mnogo reči i te reči su se izmešale. Onaj ko je umeo da otkrije i pročita prava, suštinska značenja mogao je da nasluti sav užas onoga što dolazi. Doktor Frojd je to stanje nazivao „zastrašujuća normalnost zla". Spominjem, ne slučajno, tog doktora. Moja baka nosila je prezime Frojd i bila je miljenica čuvenog bečkog terapeuta.

Otac je počeo da se koleba. Da li je previše poverovao u racionalnost sveta, da li se previše lako odrekao mističnih predanja svojih predaka? Postajalo je sve očevidnije da svetom ne vladaju racionalne nego iracionalne sile. Nezaustavljivo se srljalo u katastrofu, u najužasnije događaje koje su već tada oni obdareni „trećim okom" videli – stratišta, masovna pogubljenja, razdvajanje čitavih porodica na putu prema fabrikama smrti. Da, kunem se svim onim što mi je sveto, moj otac je te događaje koji će se tek odigrati video u svojim proročkim vizijama. Zahvaljujući moćnom daru čitanja budućih događaja, otkrivao je sloj po sloj značenja onoga što se događalo, otkrivao je budućnost koja se skrivala u sadašnjosti. Govorio nam je, majci i meni, sa istinskim uverenjem, sa očajanjem ili nadom, kako pored ovog našeg sveta, postoje i drugi svetovi, tajni, skriveni, pored ovoga života, životi u drugim paralelnim dimenzijama.

Elijah je tada imao tek dve godine. Nije još shvatao u kakav svet ulazi. Nisam ni ja, makar ne sasvim. Sa svojih šest godina, bio sam uveren kako već pripadam svetu odraslih. Otac je sa ponosom govorio da se u mene može pouzdati, što je i te kako važno u mračnim i opasnim vremenima. Prihvatio sam to kao veliko priznanje.

Elijah, moj brat, meni je poveren na brigu. Mnogo sam ga voleo. Učili su nas da smo nas dvojica jedno, da ga kao stariji brat nikada ne smem ostaviti samog, napustiti u nevolji, da ga svemu što je u životu važno, moram naučiti. Shvatio sam to sasvim ozbiljno. „Moj mali, veliki brat", šaputao sam nad njegovim krevecem, uspavljujući ga. Elijah je bio tako nežan, skoro prozračan, tek je izgovarao prve reči. Deca koja kasnije progovore, tako kažu, bistrija su, mudrija od druge dece, mere i procenjuju, a kada progovore, govore zrelo i pametno.

Posmatrao sam svet svojim ipak dečjim očima, naivno verujući kako postoji samo ono što mi je ulivalo sigurnost: moji roditelji, rođaci, prijatelji, moj brat Elijah, stvari koje mogu dodirnuti, smene dana i noći, smene godišnjih doba.

Očeva sve primetnija zabrinutost, sve češće loše raspoloženje i njegove isprekidane rečenice delovali su kao ponašanje nekog ko postepeno gubi kontakt

sa sredinom u kojoj živimo i uvlači nas u neku mrač-
nu avanturu, odvaja od nama prisnih i razumljivih
stvari, od sveta koji nam je pripadao i kom smo pri-
padali. Zaista, takvo očevo ponašanje posle njego-
vog povratka sa putovanja u Beč i Berlin, trovalo je
moju dušu strahom, strahom od nepoznatog. I danas
me povremeno obuzme nepodnošljiva nelagodnost
kada se prisetim tih dana: da li je moj obožavani otac
kojem sam neporecivo verovao, odjednom otišao u
neku vrstu bezumlja, dok sam ja živeo u opasnoj ilu-
ziji o postojanosti i nepromenljivosti vidljivog sveta
u čijem sam se okrilju nalazio.

Bio sam suviše mlad, još neiskusan, da bih mogao
proceniti suštinu te promene, vidljive ne samo za
majku i mene, nego i za našu okolinu.

Zapravo, sve je poticalo iz brige za naš opstanak.
U složenoj životnoj situaciji kada je pre mnogih dru-
gih shvatio da se pojavila jedna pukotina koja se širi
i pretvara u provaliju iz koje kulja mrak apokalip-
tičnih razmera, otac se postavio kao naš zaštitnik
što je nesumnjivo i bila njegova dužnost, pokuša-
vajući da pronađe ono bezbedno mesto, daleko i
zaštićeno od svake pretnje. To što će mnogima za
koju godinu izgledati kao sunovrat svega ljudskog,
on je video tada, sasvim jasno, a to, svakako, nije bio
običan nemir, obična briga, nego unutrašnji užas,
unutarnja panika, koje nije uspevao da suzbije i zau-
stavi. Ako je ludilo ono što se opisuje kao nesklad sa

„iskustvom kolektivnog zdravog razuma", onda jeste bio lud. Ali, šta je taj „kolektivni zdrav razum" predstavljao? Ništa drugo nego opasnu zabludu. Jedina opsesija moga oca, pa nazovimo to i ludačkom opsesijom, bila je da nas spase, da nas izbavi od onoga što nas je u vremenu koje je dolazilo neumitno očekivalo.

Šta su mogli i šta su činili oni malobrojni koji su imali jasnu viziju nailazećeg Armagedona? Postoji priča, u svemu istinita, jednog oca bolesnog od brige, koji je počeo da truje svoju decu isprva malim količinama ciklona B, a onda je tu količinu postepeno povećavao kako bi mališani postali otporni na ovaj smrtonosni gas. Otkud je taj brižni čovek već tada, nekoliko godina pre ulaska tog otrovnog gasa u upotrebu, znao da će taj gas postati nezamenljivo sredstvo za masovno uništavanje? E, pa znao je, imao je viziju. Bio je nadahnut. Nekim ljudima je dato da mogu videti događaje koji će tek nastupiti, sa takvom jasnoćom i ubedljivošću kao da je reč o nečemu što nije budućnost nego sušta sadašnjost.

Nije bilo mnogo izbora. Trebalo je odabrati bezopasan ali siguran način da se iščezne. Da se nestane iz vidokruga opasnosti. Priznajem, majka i ja prihvatali smo sa nevericom očeve ideje o tome na koje sve načine se može postati nevidljiv ili majušan do neprimetnosti. Majka je govorila pola u šali, pola ozbiljno, da je smanjivanje do neprimetnosti, kada bismo i otkrili mehanizam takvog preobražaja, ipak opasna rabota. Izložilo bi nas novoj vrsti opasnosti – da nas neko slučajno ili namerno zgazi. Opasnost je, dakle, i dalje postojala. Otac se ljutio jer je u majčinim rečima pored neverice primećivao i delovanje zdravog razuma što je po njemu bilo apsurdno, ali i glupo ponašanje u vremenu kada zdravog razuma više nije bilo.

Mnogo kasnije uverio sam se da je u životu zapravo sve moguće a da su često najsloženije stvari istovremeno i najjednostavnije.

Nestati se može na različite načine. Jedan od načina je postati neko drugi. Do juče si postojao kao Albert Vajs, a od danas nema više Alberta Vajsa, postoji neko drugi sa drugim imenom, neko ko je sasvim dobro uklopljen u svet izvrnut naglavačke. Bio si i više te nema. U mojoj detinjoj svesti to mi se činilo kao nešto užasno, zastrašujuće. To je značilo izgubiti sve do čega ti je stalo: roditelje, prijatelje, samog sebe.

Kasnije, ne mnogo kasnije, mnogi su ostvarili jedan oblik nestajanja. Put bez povratka u užarene peći Aušvica. Bila je to krajnja tačka sveta dovedenog do potpunog raspada.

Otac je pod nestajanjem podrazumevao ipak nešto drugo: odsutnost, neprisustvo, nevidljivost. Verovao je u moć uma i snagu reči. Danas pouzdano znamo da naš svet nije materijalan, to dokazuju naučnici i sve složeniji zakoni fizike koji prodiru do same srži i suštine takozvane stvarnosti. Danas poznati fizičari po sopstvenom priznanju gotovo da nemaju o čemu da razgovaraju jedni sa drugima, ali zato odlaze na razgovore sa poznatim misticima. Fizika je prešla granice shvatljivog i zašla u područje metafizike. Ono što se danas dokazuje najsavršenijim instrumentima, odabrani ljudi, mistici, saznavali su i dokazivali intuicijom. Naučno je dokazano da postoje razni oblici nestajanja, teorijski dokazivi, a otac je pokušavao da ostvari njihovu praktičnu primenu. Tragična činjenica jeste da je bio znatno ispred svog vremena.

Dok se svetom širila panika i dok su zakoni o rasama proglašavani u mnogim zemljama, mi smo sedeli u zamračenoj sobi i delovali kao žrtve koje bespomoćno čekaju svoje dželate. Ali to je moglo tako izgledati samo nekome ko je sve posmatrao spolja. Vladanje samim sobom bila je jedna od prvih lekcija koju smo učili. Radili smo na sopstvenom preoblikovanju i izmeni stvarnosti u kojoj smo živeli. Uistinu, cilj koji je otac postavio bio je dosezanje višeg stanja svesti.

– Uspešnom kontrolom uma – govorio je otac – može se zavladati onim što se vidi unutrašnjim okom. A to znači prelazak u neke druge dimenzije stvarnosti u kojima se može pronaći sigurno utočište, gde se može biti bezbedan, skriven, nevidljiv, odsutan iz sveta u kojem za nas više nema mesta i gde smo izloženi milosti i nemilosti svake hulje.

U potpuno zamračenoj sobi otac je palio sveću. Zagledani u plamen sveće izgovarali smo stihove pesme *Kad je strah kao stena* starog španskog pesnika Šem-Tova ben Josef ibn Falakuera.

Ako me sećanje ne vara, ovako su glasili ti stihovi:

> *Kada je strah kao stena*
> *Ja postajem čekić*
> *Kad tuga postane plamen*
> *Pretvaram se u more*
> *Kada se to dogodi*
> *Moje srce dobija snagu*
> *Kao mesec što zasija jače*
> *Kad sve pokrije crna noć.*

Vremenom smo se veoma izvežbali u traženju puteva prelaženja iz jedne realnosti u drugu. Možda bismo, da je bilo više vremena, ostvarili takvo putovanje. Stalno smo, međutim, morali imati na umu upozorenje da je moguće nestati u nekom od tih nepoznatih i neistraženih svetova, biti progutan jednom zauvek. Zato smo učili kako da pomoću određenih simbola, slova i znakova održavamo vezu sa ovom stvarnošću iz koje smo želeli da se privremeno sklonimo.

U knjizi kabalističkog mistika piše: *Uzletanje je radosno, ali pre poletanja treba znati kako ponovo sleteti.*

U svemu tome bio sam nedovršeni učenik. Ili je možda bolje reći da sam bio priučen. Nedostajalo mi je godina, vere, iskustva. A kada sam se jednoga dana rastao sa ocem, majkom i bratom, više nisam bio Albert Vajs, nego stranac u tuđem svetu, dečak ispunjen strahom i mržnjom.

Ali uvek ću pamtiti očeve reči: „Kada ti izgleda da je sve izgubljeno, samo zatvori oči. To je najbrži put izbavljenja. U nama samima, a i izvan nas, postoji još mnogo svetova u kojima nas naši progonitelji, ljudi ili zlodusi, ne mogu pronaći.“

Treće poglavlje

„Ne plači, mali moj.“

Putovali smo već dva dana i dve noći, žedni i gladni. Spavali smo na tvrdom podu jedva pronalazeći mesta u vagonu pretrpanom ljudskim telima. Elijah je povremeno plakao i smirivao se u majčinom zagrljaju. Tiho mu je pevala, samo njemu:

Ne plači, mali moj, Mesija će doći.
Kada će doći?
Uskoro će doći.
Kakvi će to dani biti?
Radosni dani, dani pesme,
Dani sreće,
Aleluja, mali moj!

Ja sam verovao u očevu sposobnost da nađe izlaz iz svake situacije koja nas je ugrožavala. On je upravo radio na tome.

U galami koju su stvarali kloparanje točkova, plač dece i očajnički glasovi odraslih, otac je uporno i oprezno sprovodio svoj plan. Nožem koji je nekako uspeo da prokrijumčari u jednoj od čizama, sakriven našim telima polako je razdvajao daske stočnog vagona. Znoj se slivao niz njegovo lice, a majka ga je brisala. Ovaj posao odvijao se sporo, otvor se jedva primetno širio, ali ja sam znao da će otac uspeti. Nije bio od onih koji se predaju ili odustaju. U njegovim žilama tekla je krv velikog Hudinija, rabinovog sina Erika Vajsa, koji je svojim bekstvima zadivio čitav svet.

Otac je do ponoći proširio otvor. Mogao sam da vidim pun mesec koji nas je pratio i polja prekrivena snegom pod sablasnim mesečevim sjajem.

– Alberte – kazao je šapatom. – Uskoro ćemo se rastati. Jedno vreme bićete sami. Seti se svega čemu sam te učio. Pazi na Elijaha. Neće imati nikoga osim tebe. Čuvaj našeg malog Elijaha – zagrlio me je. – Srešćemo se opet, bićemo zajedno, u ovom ili u nekom drugom životu.

Prišao je sasvim blizu da me poljubi. Video sam suzu u njegovom oku. Kanula je na moju ruku. Trag, vreli trag koji je ostavila osećam i danas.

Čekao je da voz uspori. Elijah se grčevito držao za majku. Ona je grcala, ali nije bilo izbora. Grubo ga je odvojila od sebe. Otac je prihvatio Elijaha. Poslednje što pamtim je izbezumljen Elijahov pogled. Nije ništa shvatao. Nije razumeo šta se događa, zašto ne sme da ostane sa nama.

Otac ga je provukao kroz otvor koji je napravio. Elijah je skliznuo u noć.

– Sada ti – kazao je otac. Pokušao sam da se provučem, ali nisam uspeo.

Otac je zario nož u drvo i širio otvor. Minuti su prolazili. Nekako sam se provukao. Pao sam u sneg.

Pridigao sam se i pri mesečini video voz koji se udaljava noseći sa sobom moje najdraže, oca i majku.

Išao sam duž pruge tražeći Elijaha. Isprva sam tiho izgovarao njegovo ime, a onda sam najglasnije što sam mogao vikao da sam tu, da dolazim po njega, da se javi. Skrenuo sam sa pruge i ušao u šumu, tražio sam bar neki trag. Ništa nisam našao. Svuda oko mene vladala je tišina, strašna tišina. Spopao me je umor. Glas mi je bio sve slabiji. Hodao sam levo, desno. Bližilo se jutro.

Nisam našao Elijaha. Bila je to izdaja, višestruka. Izdao sam svog dragog brata. Izdao sam majku i oca. Zaurlao sam od bola, sam u nepreglednoj belini, sa jedinom željom da zaspim, da umrem, i nikada se više ne probudim.

Četvrto poglavlje

Sadrži ispovest folksdojčera Johana Krafta datu istražnim organima u N. 1945. godine.

Rodio sam se u gradiću N. na obali Dunava. Tu sam proveo detinjstvo, tu sam se oženio. Čitav život proveo sam u kući na periferiji grada. Žena mi je rodila sina, dečaka koga smo voleli više nego ikoga na ovome svetu. Ali, nesreće se događaju kada ste najmanje spremni, surovo, iznenada i promene začas tok čitavog života. U proleće 1941. Hans se sa drugovima kupao u reci. Udaljio se od obale, uhvatio ga je vir i povukao u dubinu. Tragali smo za njegovim telom danima, ali nikada ga nismo pronašli. Moja Ingrid kao da je izgubila razum, možda stvarno i jeste. Sedela je u uglu sobe i plakala, a potom zanemela, povukla se u sebe, u pakao koji se u njoj otvorio.

Nije ni meni bilo lako, ali živeti se mora – neke stvari koje su se dogodile ne mogu se izmeniti ni popraviti.

E sad, da kažem, bio sam šumar. Možda je to pomoglo da sve prihvatim kako jeste. Po čitav dan sam tumarao poljima i šumom, jureći lovokradice. Rat se približavao. Većina stanovnika našeg gradića bili su Nemci, tako i nas dvoje, Ingrid i ja. Nazivali su nas folksdojčerima. Moji sunarodnici jedva su čekali dolazak Nemaca a meni je bilo svejedno. Istina, stavio sam na zid sliku vođe Rajha Adolfa Hitlera pored ikone sv. Georgija, kao što su učinili i svi moji sunarodnici. Nikoga nisam mrzeo, a srce mi je još uvek bilo prepuno tuge. Kada su Nemci došli u naš gradić, dočekani su kao braća, toplo i prijateljski. U gradu je odranije postojalo udruženje *Kulturbund* za jačanje veza sa Nemačkom. Mladi su obukli nemačke uniforme i pridružili se vojnicima Vermahta. Ja sam u svojoj uniformi šumara služio svakoj vlasti, pa i ovoj. Mnoge su se stvari promenile, ne samo vlast. Svuda se govorilo kako je rat već okončan nemačkom pobedom ali se u vazduhu još uvek osećala velika nesigurnost. Ređe sam zalazio u šumu, postalo je opasno, više nisi znao koga možeš da sretneš i od koga bez razloga da dobiješ kuršum u glavu. Uglavnom sam hodao ivicom šume, pored pruge, samo da ne bih sedeo u kući pored žene čija me je patnja zbog osećaja sopstvene bespomoćnosti dovodila do očajanja. Prugom su mimo voznog reda koji sam znao napamet sada prolazili vozovi odvodeći vojsku na front, a od početka jeseni i stočni vagoni iz kojih su kroz pukotine provirivali putnici pokušavajući da nešto doviknu, ali ja sam okretao glavu i išao za svojim poslom. Kraj pruge sam sve češće nalazio poruke na raznim jezicima ispisane na parčićima hartije, izbačene iz tih vozova, upućene nekuda i nekome. Te sam poruke samo ovlaš čitao, gužvao i cepao, bilo mi je dosta sopstvene nevolje da bih se uplitao u tuđu. Tek sam kasnije saznao kuda idu ti vozovi i koga prevoze. Ali, niti sam kome mogao da pomognem, niti se to mene ticalo.

Zima 1942. zavejala nas je u duboki sneg. To su one gadne zime kada i divljač strada od studeni i nedostatka hrane. Jednog hladnog jutra, natovaren sa nekoliko naramaka sena, pošao sam da šumskim zverima pomognem koliko-toliko. Nije to baš bila moja obaveza, ali nije bilo nikog drugog da o tome brine. A ja sam šumu i zverinje koje je u njoj živelo, na neki način, osećao kao nešto meni povereno na čuvanje.

Vraćao sam se kao i obično pored pruge. Na jednom mestu ugledao sam ljudske tragove, nisu pripadali odraslom čoveku, dobro sam se razumeo u tragove, odvajali su se od pruge prema nepreglednoj belini polja i šuma u daljini. Spuštao se mrak i ko god to bio, ne bi izdržao mraz. Pošao sam za tragovima i uskoro ugledao nešto poput tamne mrlje u ravnici već zasenčenoj dolaskom večeri. Bio je to dečak, ne stariji od sedam-osam godina, jadno obučen, već pomodreo od zime. Kada me je ugledao, zastao je. Očevidno više nije imao snage za bežanje, a od nekoga je bežao, to je bilo jasno. Uzeo sam ga u ruke i, nemajući drugog izbora, poneo ga kući.

Drhtao je u mojim rukama. Osećao sam otkucaje njegovog srca. Bilo je kasno da ga nosim u policijsku stanicu, ostavio sam to za naredni dan, ionako je najpotrebnije bilo da se ugreje uz toplu peć. Usne su mu poplavele od hladnoće, pa sam ga ogrnuo svojim kožuhom. Spominjao je jedva čujnim glasom svog brata, šaputao je kako neće nikuda bez njega. Ali, kunem se da nije bilo nikakvog traga tog drugog dečaka.

Probijao sam se kroz duboki sneg žureći da što pre stignem do kuće. Eto, tako je počela ta priča koja će mi iz osnova promeniti život. A tada to nisam mogao da naslutim. A i da sam nekim čudom naslutio, šta sam mogao da uradim drugačije?

Uneo sam malog u kuću. Kada nas je ugledala, Ingrid je za trenutak zastala kao da je očekivala čudo, gledala me je kao da vraćam našeg Hansa. Ispričao sam kako sam dečaka našao u snegu. Ona se samo okrenula i otišla u svoju sobu. Dečak je jecao, bez suza. Skinuo sam mu odeću, pronašao jednu Hansovu pižamu, stavio ga u krevet i umotao u ćebad. Da li će preživeti nisam bio siguran, sve je bilo u božjim rukama.

Sređujući njegove stvari, u prsluku sam našao zašivenu poruku. Dečak se zvao Albert. Njegova majka molila je da mu se pomogne. Ne znam kako je uspela da ga izbaci iz voza. Takve stvari su se događale. Majke su se dovijale na različite načine kako bi spasle svoju decu. Bilo je slučajeva da su u prolazu decu bacale sa mosta u reku. Ili skrivale u jendeke kraj puta. Takva su deca nalažena živa ili mrtva, a ako su preživela ukrcavana su u sledeću kompoziciju koja je išla, kako se šaputalo, daleko na sever, u poljske logore.

Sebi sam namestio ležaj pored njegove postelje. Oko ponoći probudiše me tihi, jedva čujni koraci. Imam lak san, budim se na najmanji šum. Moja Ingrid prišla je dečaku koji je nemirno spavao, buncajući. Podigla je sveću koju je nosila i pri slaboj svetlosti plamena zagledala se u detinje lice. Stajala je tako nepomična nekoliko dugih minuta. Uplaših se da joj nije dobro. Htedoh da je pozovem po imenu ali ona se upravo u tom času lagano pomeri, okrenu se i na prstima vrati u svoju sobu. Zaspao sam čvrstim snom, izmoren svim onim što se tog dana dogodilo. Kada sam se probudio, Ingrid je opet stajala kraj dečakove postelje. Dečak je teško disao, užarenih obraza, tresao se u krevetu. Očevidno, imao je groznicu i visoku temperaturu. Ingrid mu je na čelo stavljala vlažne obloge i trljala mu telo domaćom rakijom. Napolju je vejao gust sneg. Ako sam i imao nameru da tog jutra dečaka odvedem u policijsku stanicu, morao sam to odložiti za neki drugi dan.

Iznenadila me je promena Ingridinog ponašanja. Ona koja je mesecima bila u dubokoj depresiji odjednom se budila iz teškog i mučnog sna, iz letargije, ona kojoj već dugo ni do čega nije stalo, sada je postala obuzeta brigom za zdravlje ovog malog uljeza. I sasvim sam jasno čuo, prvi put od smrti našeg sina, kako je progovorila. Istina, samo nekoliko reči, milujući dečaka i sklanjajući mu vlažne uvojke sa čela. Tepala mu je: „Hansiću, detence moje..." Možda je tada bilo vreme da sve zaustavim, da se umešam i viknem iz sve snage kako taj dečak nije Hans, ko zna odakle je, iz ko zna kog grada ili sela, da je to mali Jevrejin koga sam čudom spasao. Ali, ne, nisam učinio ništa od toga, naprotiv, učinio sam sve da je podržim u tom suludom uverenju da je taj odbačeni i zalutali mališan naš Hans. Učinio sam to, neka mi dragi Bog oprosti i neka se smiluje, sa namerom da nju izbavim iz tame u kojoj je živela, da njeno ludilo učinim manje bolnim, a njenu iluziju suštom stvarnošću. A kada sam se malo bolje zagledao u tog malog nesretnika primetih, znam šta govorim, da zaista liči na Hansa. Pa, eto, rekoh sebi, šalje ga samo nebo da uteši Ingrid i učini naš život podnošljivim.

Nekoliko nedelja nismo znali hoće li mališan preživeti. Borio se sa svojim zlim duhovima, sa svojim usudom. Ingrid je danonoćno sedela kraj njegove postelje. Boga sam molio da ovog malog poštedi jer Ingrid ne bi izdržala taj novi gubitak. Ušli smo u opasnu avanturu. Skrivanje Jevreja, pa bilo to i neko izgubljeno i nađeno dete, polusmrznuto u snegu, kažnjavano je smrću. No, tada na to nisam mislio. Kako se mali oporavljao i sneg je kopneo, kao da se priroda budila sa njegovim buđenjem i oporavkom. Iako je bio tek početak marta, u vazduhu se osećao miris proleća. Tada je dečak prvi put izašao ispred kuće, u dvorište. Naša kuća se nalazila na uzvisini odakle se video čitav kraj, gradić u dolini, šuma na drugoj obali reke i pruga kojom su prolazili vozovi. Morali smo dobro da pazimo da ne odluta jer je jednom krenuo preko polja prema pruzi, ali smo to na vreme primetili i uspeli smo da ga vratimo. Pokušao sam da mu objasnim, a da Ingrid to ne čuje, kako njegova majka zna gde je on i da će jednog dana doći po njega. A dok se to ne dogodi treba da bude strpljiv i da čeka. Tako sam polako ali sve dublje upadao u laži, prema Ingrid i prema njemu. Nisam imao drugog izbora. Kada je dečak ozdravio i obukao Hansovo odelo, kada ga je Ingrid očešljala onako kako je češljala našeg sina, ovaj dečak je zaista u svemu ličio na Hansa. U svemu, osim u ponašanju. Nije nam ukazivao ljubav i pažnju iako je i jedno i drugo od nas dobijao. U dvorištu je gazio po blatu namerno prljajući Hansovo odelo, makazama je skratio kosu, nije se odazivao na ime Hans, za stolom je odbijao da izgovori reči molitve pre obeda. Posle ovakvih njegovih postupaka Ingrid nije uspevala da zaustavi suze. Ona je u dečaku prepoznavala svog sina, ali je bila zbunjena i uplašena njegovim otporom da je prihvati kao svoju pravu majku. Razgovarao sam sa dečakom, kao sa sebi ravnim, kao sa odraslim, objašnjavajući kako mu želimo samo dobro. Da, bila je to veoma složena, zamršena, žalosna priča. Žena kojoj sam stvarao iluziju zasnovanu na laži verovala mi je, a taj dečak, još neiskvaren, neiskusan, ali sa ličnošću koja je sazrevala, nije prihvatao obmanu. Ipak, živeo sam u uverenju, očevidno lažnom, da ga polako pridobijam, u to sam bio ubeđen – sve do dana Hansovog rođendana. Dobro se sećam tog dana, 5. aprila 1942. Ingrid je bila veoma uzbuđena. Od ranog jutra spremala je po kući, napravila rođendansku tortu, svečano se obukla. Otključala je vrata Hansove sobe i uvela u nju Jevrejče, malog Alberta. Podigla je zastore i u sobu je provalilo svetlo. Na podu, krevetu, svuda unaokolo ležale su Hansove stvari, onako kako ih je poslednji put ostavio. Ingrid je uvela dečaka, a ja sam stajao na pragu sobe, osećajući u svojim nozdrvama miris ustajalog vazduha, prašine i truleži. Predosećao sam nesreću. A onda je dečak ugledao na zidu Hansovu sliku – kao da je sebe video u ogledalu. Isto obučen, isto začešljan, Hansova slika i prilika. Tada je sasvim jasno shvatio ono što je do tada možda samo slutio – da smo od njega želeli da napravimo nekog drugog, nekoga čiji je duh još živeo u ovoj kući: dvojnika našeg nestalog sina. Zapravo, trebalo je ne samo da zauzme njegovo mesto, nego da postane u potpunosti taj drugi! I onda se dogodilo ono što, uprkos svemu, nisam očekivao. Ispunio se besom, mržnjom. Udarao je po stvarima oko sebe, počeo da se ponaša kao mali divljak. A zatim je dohvatio sliku sa zida, polomio okvir, bacio je na zemlju, gazeći obesno po parčićima razbijenog stakla. Ni traga zahvalnosti za sve ono što smo učinili za njega! Ingrid nije shvatala šta se događa. Samo je pokrila lice šakama. To je bilo previše. Dohvatio sam malog, grubo, moram priznati, jer je sada i iz mene provalio bes, kao da je on kriv za Hansovu smrt, za Ingridinu patnju. Dečak se opirao koliko je mogao, ali ja sam ga savladao, izvukao iz sobe, dovukao do ostave i tu zaključao. „Nećeš izaći odavde", vikao sam, „dok se ne izviniš za ono što si učinio!"

Najviše me je potreslo što se Ingrid okrenula protiv mene. „Šta mu to radiš?! Šta mu to radiš?!", vikala je. Prišla mi je sasvim blizu. U njenim očima video sam samo mržnju. To me je porazilo. Prišla je pokušavajući da me udari. Stegao sam svojim rukama njene slabašne ruke, nemajući snage ni da se pravdam, ni da je u bilo šta ubeđujem. Dobio sam neshvatljivu i neodoljivu želju da se svetim. Otključao sam vrata ostave. „Ti, mali gade", kazao sam Jevrejčetu, „tvoji roditelji su te napustili, zauvek! Nikada neće doći po tebe!" Čim sam to rekao, pokajao sam se. Ali izgovorene reči se ne mogu vratiti. Bilo mi je jasno da sam sve upropastio, da je sve otišlo dođavola.

Izašao sam u dvorište, seo na bicikl i krenuo u nemačku komandu. Bio sam odlučan da prijavim dečaka, da opišem kako sam ga našao na pruzi i sažalio se ali brzo uvideo grešku kada sam shvatio da je jevrejski begunac. Obilazio sam nekoliko puta oko zgrade komande. Kunem se, nisam ga prijavio. Nisam imao snage da takvo nešto učinim. Zatim sam se vozio besciljno, puteljkom prema šumi. Samo što dalje od kuće. Zaustavio sam se ispod jednog velikog hrasta, odložio bicikl, seo u travu i zagledao se u nebo. Nebom su letela jata ptica, ptice su ispunjavale krošnju velikog drveta. Sve je živelo, samo mi se činilo da ja umirem. Sunce je počelo da zalazi kada sam ponovo seo na bicikl i krenuo kući.

Da li je to bilo predosećanje, ali kako sam se približavao kući obuzimali su me sve više nespokoj, strah i kajanje.

U kući nisam nikoga zatekao. Ni dečaka, ni Ingrid. Srce mi se steglo, obuzela me je panika od tišine koja je u kući vladala.

Prošao sam kroz trpezariju, spavaću sobu, pomoćne prostorije i izašao na zadnji ulaz, onaj iz dvorišta. Tamo, na tremu, preko gornje grede bilo je prebačeno uže, a na njemu je visila moja Ingrid.

Izgubila je našeg Hansa, izgubila je i malog tvrdoglavog Alberta i to nije mogla da preživi.

Nikada više nisam video tog dečaka. Ne znam šta se sa njim dogodilo.

Nisam ga prijavio komandi, verujte mi. To je čitava moja priča.

Peto poglavlje

U kojem Albert Vajs pripoveda o jednoj neobičnoj knjizi. O čudu opisanom u toj knjizi.

Jedno od mojih malobrojnih preostalih zadovoljstava jeste obilazak knjižara. I to ne velikih, već onih malih u kojima su izmešane stare i nove knjige. U takvoj knjižari na samoj periferiji grada upoznao sam starog knjižara, antikvara, sa kojim sam provodio sate u razgovoru o knjigama. Prilikom jedne takve posete, iz gomile knjiga naslaganih bez nekog reda na stolu knjižar izvadi jednu knjigu.

– Ovo mi je danas stiglo – reče. – Hoćete li da pogledate?

Knjiga je bila dobro očuvana. Naslov doista neobičan: *Čuda koja su se dogodila u nacističkim logorima.*

Ime autora nije mi ništa posebno značilo: hasidski rebi iz Bluzhova, Izrael Spira.

Uzeo sam tu knjigu, sa predosećanjem da je na neki način baš meni namenjena. Ne mogu to drugačije da objasnim. Ne verujem u slučajnosti. Ništa se na ovom svetu ne događa slučajno.

Jedna od rebijevih priča bila je posvećena čudesnom događaju u Aušvicu.

U rebijevom opisu prepoznao sam lik svog oca! Nije spomenuto njegovo ime, ali po svemu, to je bio moj otac! Zanesenjak koji veruje u čuda i neprekidno smišlja kako da pronađe izlaz iz bezizlazne situacije.

Sudbina se često poigrava sa ljudskim životima, ostvaruje neobične susrete, čudesne događaje i situacije. Tako se dogodilo da se moj otac u logoru Aušvic upoznao sa hasidskim rebijem iz Bluzhova, rebijem Izraelom Spirom. Još jednim čudakom koji je verovao u nemoguće.

Čudo je i da sam ja zalazio u knjižaru gde se pojavila upravo ova knjiga koja je pre toga ko zna koliko dugo prelazila iz ruke u ruku dok mene nije pronašla.

Događaj u njoj opisan odigrao se na Hanuku 1942. godine.

Čudo u Aušvicu

Toga dana u logoru, o kojem piše rebi, esesovci su nasumce izdvajali logoraše, izvodili ih iz baraka i tukli gvozdenim šipkama a zatim ih ubijali revolverskim hicima. Masakr je trajao od jutra do večeri. Prostor oko baraka bio je ispunjen beživotnim telima.

Ovaj užasan događaj odigrao se upravo na Hanuku. Preživeli logoraši okupili su se uveče da učestvuju u paljenju Hanuka svetla. Umesto sveća poslužili su kao fitilj konci izvučeni iz logoraškog odela, a crna mast za cipele zamenila je ulje. Rebi iz Bluzhova je otpevao tri blagoslova zahvalivši Kralju vaseljene što je „dozvolio da dočekamo vreme ovo".

Kada je rebijev glas utihnuo, otac koji je bio među preživelim mučenicima tog dana prepunog bola i patnje, prišao je rebiju. Pitao ga je kako može da zahvaljuje Bogu na dan kada su toliki ubijeni. Zar u vremenima kada milioni nevinih stradaju vera u Boga uopšte ima smisla?

U potpunoj tami rebi je zapalio sveću govoreći ocu da se usredsredi na majušni plamen koji, uz mističnu snagu reči, dostiže neslućenu snagu i moć. U kabalističkoj *Knjizi sjaja*, čuvenom *Zoharu*, piše da u kontemplaciji plamena treba uočiti pet boja: belu, žutu, crvenu, crnu i nebeskoplavu. Koncentracija se postiže kada se javi nebeskoplavo polje oko tame. Ma koliko se tama širila oko nje je uvek ista boja. Najlepša nebeskoplava koja se može zamisliti. To je postizanje višeg stanja svesti u kojem prestaju da važe fizički zakoni, putuje se brzinama višestruko većim od brzine svetlosti, ne postoje prostor i vreme. Sve je izmešano, sve dostupno: prošlost, sadašnjost, budućnost. Unutrašnjim okom ulazi se u svetove koji imaju četiri ili pet dimenzija. To su opasna putovanja na kojima se čovek može nepovratno izgubiti, biti progutan u neomeđenim ambisima prostora i vremena, ako nema iskusnog i pouzdanog vodiča.

Rebi je uzeo oca podruku. Doveo ga je do jame prepune leševa onih koji su pobijeni toga dana. „Nismo mi u svetu, svet je u nama. Čvrsto se uhvatite za moj pojas. Zatvorite oči. Sada ćemo da skočimo!“ Otac se uhvatio za krajeve rebijevog kaputa i zatvorio oči. A kada ih je ponovo otvorio našao se zajedno sa rebijem u čudesnom predelu čiji se izgled ne može verno opisati jer ne odgovara ničemu što postoji u ljudskom iskustvu. Po rebijevom svedočenju, pred njima se ukazalo jedno brdo baš onako kako opisuje An-ski u drami *Između dva sveta: Visoko brdo a na brdu leži veliki kamen, a ispod kamena izbija bistro vrelo.* A istovremeno čuli su otkucaje srca, snažne i duboke, baš kao što opisuje čuveni dramatičar, *jer svaka stvar na svetu ima svoje srce i ceo svet ima svoje veliko srce...* Tako je hasidski rebi iz Bluzhova opisao rečima Šlojme Zejnela Rapaporta, kako glasi puno ime An-skog, to stanje u kojem su se našli kada su poništili svoje ja. Kasnije, mnogo godina kasnije, piše rebi, otkrio je na jednom svom ovozemaljskom putovanju kako blizu grada Lišenska postoje takvo brdo i takav izvor. Brdo je obraslo šumom, a vrh stene uzdiže se nad dubokom provalijom. Iz ponora dopire čudan zvuk nalik dubokim otkucajima ljudskog srca. Vrh te stene do dana današnjeg nazivaju Sto rebija Meleka.

Šta se dogodilo sa mojim ocem? Rebi Izrael Spira nema odgovor na to pitanje. Oni su se nevoljno rastali, vetar vremena odneo ih je na različite strane. Rebi Izrael Spira je našao put do našeg sveta, a moj otac možda još uvek luta hodnicima i lavirintima mnogih međusobno izukrštanih svetova.

Šesto poglavlje

U kojem se opisuje jedan misteriozan događaj, ali se ništa ne razjašnjava. Sve je pod sumnjom, i život sam.

Bilo je dva sata posle ponoći kada je zazvonio telefon.

– Albert Vajs?

Jednom rukom pridržavao sam slušalicu, drugom brisao znoj sa čela. Već nekoliko noći u isto vreme javljao se taj promukli glas od kojeg me je podilazila jeza.

– Da, ovde Vajs.

– Berti... – rekao je nepoznati. Tako me je zvala moja majka. Ali nje odavno više nema.

– Ko je to? Recite. Šta hoćete?

Bez odgovora. Onaj na drugoj strani žice je ćutao. A onda je prekinuo vezu. Kao što je činio uvek kada mu se postavi pitanje.

Ko je taj koji me već dugo noću uznemirava, oda-kle zove, zašto? Nisam uspevao da sebi predstavim lice nepoznatog. Ko stoji iza tog hladnog, metalnog glasa koji u sebi sadrži nešto neljudsko? Možda stiže pravo iz groba. Zašto da ne? Tehnika je toliko napre-dovala, sve je postalo moguće. Taj koji zove sigurno zove sa nekim ciljem. Da li i neznanca muči nesani-ca? Ali to ništa ne objašnjava. Bilo bi suludo da su ovi kasni noćni pozivi bez ikakvog povoda. Narav-no, ima i toga. Svet je pun ludaka. Poremećene osobe slede svoje sumanute ideje.

Sve su to uznemirujuće misli koje proizvode nesa-nicu. Hodam kao somnabul, pristavljam za kafu i dok čekam da provri voda prilazim prozoru, između jedva razmaknutih zavesa posmatram pustu ulicu. Već dugo imam osećaj da sam praćen. Preko puta, u haustoru zgrade primećujem senku uhode. Taj se sakrio, ali ga senka odaje. Za koga radi? Možda je pripadnik neke tajne neonacističke organizacije? Nedovoljno dokaza za policiju: kao što je onaj promukli glas preko tele-fona nemoguće tačno odrediti, iako se njegov vlasnik očevidno javlja sa nekom nejasnom namerom, tako je i ovaj uhoda zasada samo senka ili bolje reći senka senke, nevidljiv ali prisutan. U obližnjoj policijskoj stanici su me saslušali i sastavili zapisnik, ali ta gospo-da nisu za ozbiljno uzela moju prijavu. Za policijskog službenika to je van sumnje rutinska gnjavaža kakvih imaju svakodnevno, sa ljudima u poznim godinama sklonim svakojakim fantazijama.

Ali taj odlazak u policiju i njihova nezainteresovanost ipak su me potresli. Iz policije sam izašao jedva zadržavajući suze. Nepoverenje policijskog službenika osetio sam kao duboko, istinsko poniženje. Već duže vreme poniženja doživljavam svakodnevno.

Nije trebalo da preživim. U tome je problem. Nije bilo predviđeno da preživim. Često sam o ovome razgovarao sa Solomonom. Povezivale su nas godine i sudbine. Naučnici su saopštili da su pronašli novu česticu poznatu i kao „Božja čestica". Rezultati višedecenijskog „lova" na česticu koja bi mogla da približi čovečanstvu razumevanje nastanka univerzuma saopšteni su na konferenciji za novinare koja je izazvala veliku pažnju i uzbuđenje širom sveta. A Solomon i ja smo tragali, svaki na svoj način, za „božanskom česticom zla".

Solomon Levi bio je jedan od mojih malobrojnih preostalih prijatelja. Sada ni njega više nema. Solomonova smrt bila je opomena. Ali, koga je za to briga? U novinama se pojavila samo jedva vidljiva beleška da je senilni starac verovatno nepažnjom izazvao požar u svom stanu zatrpanom starim novinama i knjigama. Za tu strašnu smrt u plamenu nije niko drugi kriv nego on sam. Novinar koji je obišao mesto požara napisao je kako je prostrani trosobni stan u potkrovlju bio pravo smetlište, od poda do

plafona ispunjen starom hartijom koju je starac pri-
kupljao po svoj prilici radi prodaje, a onda su bačen
opušak ili ispuštena cigara izazvali požar sa katastro-
falnim posledicama. Koliko neistina u samo nekoliko
redaka novinskog članka! Solomon Levi je bio nepu-
šač, to znaju svi koji su ga poznavali, a „stara hartija",
kako to novinar opisuje, bila je važan, najvažniji deo
njegovog životnog posvećenja – prikupljanja tekstova
o mnogobrojnim oblicima zla, od Holokausta pa do
onih svakodnevnih u kriminalnim hronikama. Solo-
mon Levi, moj pokojni prijatelj i sagovornik, može se
nazvati istraživačem. Bio je vredan i posvećen arhi-
var svega što je na temu zla objavljivano. Prikupljao
je dokumentaciju za obimnu knjigu o najrazličitijim
oblicima ponašanja iza kojih se prikrivala zločinačka
agresivnost, o različitim manifestacijama nepočinsta-
va i bezumlja. Pomagao sam u prikupljanju i sređiva-
nju takvog materijala. Svakodnevno smo se sastajali,
pokušavajući da uočimo bilo kakvu zakonitost koja
bi nas dovela do traga koji bismo mogli da sledimo.
Može se to nazvati našom opsesijom. Iz dana u dan
događali su se zločini koji su svojom monstruozno-
šću prevazilazili sve ono što normalan čovek može
da zamisli.

*Sin ubio oca na spavanju. Majka zadavila tek rođeno
dete i ostavila ga na đubrištu. Napujdao krvožednog
psa na komšiju, a onda leš bacio u bunar. Pijani*

*napasnik silovao starca od devedeset godina. U
nastupu ludila pobio čitavu porodicu. Krvave borbe
dečaka koji imaju najviše petnaest godina. Borbe
dečaka organizuju patološki poremećene osobe, koje
tu decu tretiraju kao pse. Mladić je priznao da je
upravo ubio čoveka i da je pio njegovu krv. Ubica
koji teroriše Meksiko za novčanu nadoknadu koju
mu isplaćuje jedan od lokalnih narko-kartela ima
samo dvanaest godina, ali je do sada na brutalan
način pogubio više desetina ljudi. Poljakinja više
od sto pedeset puta izbola nožem sedmogodišnjeg
sina i petogodišnju devojčicu „jer je u njih ušlo zlo".*

U samo nekoliko dana bilo je mnogo takvih vesti.
Nije čudo da je Solomon bio zatrpan isečcima iz novi-
na, zapisima. Ali svi ti tako uobičajeni a ipak bizar-
ni slučajevi dobiće svoje pravo tumačenje i značenje
kada na matematički pouzdan način otkrijemo šta
je svima njima zajedničko, u čemu je sama suština
ovakvih događaja, i kada otkrijemo samo „zrno zla",
božansku česticu za kojom tragamo.

Na margini jednog teksta o ratnim zločinima moj
dragi Solomon zapisao je reči pesnika kako su odu-
vek *ubice svih nacionalnosti pripadale jednoj naciji,
naciji ubica* i kako su *deca svetlosti i deca tame već
posvuda svrstana.*

* * *

Nekoliko dana posle požara i sahrane Solomona Levija na jevrejskom groblju, odlučio sam da odem do stana svog nesrećno stradalog prijatelja. Imao sam ključ od Solomonovog stana, kao što je i on posedovao ključ od mog. Obojica smo bili samci, postojao je dogovor o međusobnoj pomoći, ako zatreba. Ali, eto, Solomonu Leviju i pored ključa više nisam mogao da pomognem.

Popeo sam se tiho, gotovo na prstima, kao provalnik, što sam u stvari i bio, do Solomonovog potkrovlja. Policija je postavila obaveštenje o zabrani ulaska. Hodnikom se širio miris izgorelih stvari. Tragovi požara bili su vidljivi svuda unaokolo.

Imao sam neodoljivu želju da još jednom, poslednji put, posetim stan svog prijatelja u kojem smo proveli mnogo dugih sati u razgovorima, tako važni jedan drugome. No, taj stan više nije pripadao Solomonu, pa sam dolazio sa strepnjom da me neko ne zaustavi i zapita sa kojom namerom dolazim. Jedva sam otključao iskrivljena drvena vrata i ušao u prostor koji se više nije mogao prepoznati. Posvuda su se videle samo crne čađave grede i razbacani delovi poluizgorelog nameštaja. Tu više nije bilo ničeg vrednog pomena. Bili su to ostaci jednog ljudskog prebivališta, samo tragovi nekadašnjeg života. Preostala je, nekim čudom, gomila hartije ispisana Solomonovom rukom. Sve je progutao plamen, ali, eto, jednu hrpu hartije nije. Setih se poznate rečenice u kojoj se tvrdi da rukopisi ne gore. Da li ju je izgovorio sam đavo, ili neko njemu blizak? To je sve što je ostalo od našeg druženja. Imao sam pravo da uzmem ono što je izbeglo uništenje. Ali čim sam dodirnuo te listove oni su se raspali u prah i pepeo. Ako se u tim spisima krila neodgonetnuta tajna o poreklu zla, sada je uništena u vatri, izgubljen je sav naš trud, nada da ćemo pronaći nekakav trag.

Žurio sam da se što pre udaljim od mesta gde je tragično stradao moj prijatelj. Nisam mogao da se oslobodim nelagodnog osećanja kako sam pod stalnim nadzorom nekog svevidećeg oka. Da li je ono pripadalo istoj osobi koja me je proganjala u poznim noćnim časovima, je li to bio uzrok moje duge i mučne nesanice?

Spuštalo se veče. Upalile su se gradske svetiljke. Sve je dobilo svoje senke. Drveće, kuće, retki prolaznici. I moja senka me je pratila, strah me je pratio, nešto je govorilo iz mraka: „Beži koliko hoćeš, ali uteći ne možeš!"

Sedmo poglavlje

„Oluja pomrčine.“

Još jedan od „naših“ je otišao. Ko su „naši“? Poslednji od pravednika. Pravednici drže ovaj svet da se ne raspadne. Solomon Levi, Miša Volf, Urijel Koen i ja, pisac ovog dnevnika, Albert Vajs. Broj četiri drži svet. Četiri je važan broj. I baš je Solomon govorio o važnosti broja četiri. Četiri su slova u Božjem imenu, četiri strane sveta, četiri godišnja doba... Negde je pronašao kako reč *shi* na japanskom znači četiri i smrt i da Japanci veoma paze da je ne izgovore. Ispleo je oko toga čitavu priču dostojnu Čestertonovih priča o ocu Braunu. Broj koji nas sve povezuje a u njegovom tajnom i skrivenom značenju skriva se sama smrt. Da li je to bilo predskazanje, slutnja ili samo slučajnost? Miša Volf ne priznaje slučajnosti. „Sve je

povezano", kaže on. „U vremenu i prostoru. Sve sud-
bine su umrežene. Sve je u jednom, jedno je u svemu."

U poslednje vreme Solomon se osećao veoma loše.
Bio je nečim užasnut, nekim iznenadnim sazna-
njem, kako mi se činilo, ali je uporno odbijao da o
tome govori. Nešto ga je progonilo. Ali koga od nas
iz poslednje generacije preživelih teške misli i loši
snovi nisu progonili? Imao sam i ja svoje more, svoj
neprekidni, opsesivni san, ali to sam čuvao u sebi
kao nešto samo moje.

Ne, nisam imao objašnjenje za njegovo sve sumor-
nije raspoloženje. Istina, bilo je nekih znakova, kojima
nisam pridavao posebno značenje, a koji su Solomona
vidno uznemirili. Na ulaznim vratima njegove zgra-
de jednog jutra neko je ispisao sprejom čudan sim-
bol kakav do tada nisam video. Što se mene tiče, ne
bih tome pridavao nikakvu pažnju da nije bilo vidlji-
vo koliko je Solomon to ozbiljno shvatio. Promrmljao
je nešto o „praiskonskom zlu", nekakvu nejasnu reče-
nicu. Na moja pitanja nije odgovarao, samo je odma-
hivao rukom. Svega ovoga prisetio sam se i kasnije,
posle Solomonove sahrane na jevrejskom groblju.
Kada sam obilazio njegov grob, da pokažem prijate-
lju da ni u smrti nije sam, opazio sam kako je neko
od pažljivo izabranih, pravilnih belutaka, sastavio
onaj isti simbol.

Prelistavam stranice dnevnika, sveske u koju sam
povremeno upisivao svoje nedoumice, strahove, časove

kada sam svoju usamljenost osećao kao fizički bol...
Čemu sva stradanja, ako se na kraju pokaže da nisu
imala nikakvog smisla? Otkad znam za sebe, otkad
sam postao svesno biće, mučilo me je osećanje kri-
vice zbog toga što sam izneverio oca i majku, koji su
odvedeni i u mukama završili u logorima. Obećao
sam da ću voditi računa o svom malom bratu Elija-
hu, a nisam uspeo da ga spasem. Zašto sam onda ja
preživeo? U šta se može verovati, u veru, u ljude, ako
svakom objašnjenju izmiče smisao?

Osveta je stigla sledeće noći kada sam se prezno-
javao dok sam u snu stajao pred streljačkim vodom.
Vojnici čije fizionomije nisam mogao jasno da sagle-
dam, u uniformama koje su samo u nekim detalji-
ma bile nacističke, spremali su se da obave zadatak.
Na komandu podižu puške, nastupa trenutak jezi-
ve napetosti i tišine... a onda se budim, tupo zurim
u tavanicu po kojoj igraju senke dok mi se i protiv
volje oči ponovo sklapaju i tonem u isti san koji se
do jutra ponavlja kao na beskrajnoj traci.

Te noćne more bile su povod moje posete Emilu
Najfeldu, počasnom članu međunarodnog udruže-
nja psihoanalitičara. On pripada najstarijoj generaciji
preživelih. Ne voli da priča o sebi, o svojoj porodičnoj
prošlosti. Govorio je da je ateista, iako, dodavao je,
ateisti zapravo ne postoje. On je samo izgubio veru.

Istovremeno, ponosio se time što je dosledan učenik Sigmunda Frojda. Frojd je takođe isticao svoj ateizam, a čitavo otkriće podsvesnog, tajno čitanje ljudske duše bilo je zasnovano, Frojd je to priznavao samo u trenucima dobrog raspoloženja, na učenjima stare kabale o višeslojnosti teksta. Prvo čitanje, prvi sloj teksta skriva i one ostale slojeve, prava i složena tumačenja. Nema ničeg očevidnijeg od ovog jednostavnog objašnjenja koliko su nauka i mistika povezane. Tako je i stari Emil, može se izvesti taj zaključak, ateista koji odbacuje mističnu kabalu, ali primenjuje njena učenja.

Kada sam dolazio u posetu obično bih zaticao Emila zavaljenog u udobnu starinsku fotelju, deo izgubljenog pa pronađenog starog porodičnog nameštaja kako mi je jednom ispričao. I stvari često poseduju svoju zanimljivu, pa i tragičnu istoriju, kao i ljudi. Emil Najfeld je imao svoje teorije o svemu, o nastanku i kraju sveta, značenju sudbine, složenom odnosu polova, mogućnosti poslednjeg saznanja, pa i o lečenju kijavice i reume. Najmanje je govorio o depresiji jer je, kako je jednom rekao, besmisleno razgovarati o poremećajima psihičkog života koji uglavnom imaju organsko poreklo. Depresija i melanholija, tvrdio je, rođene su sestre euforije i preteranog optimizma, a poznato je kako se krajnje suprotnosti dodiruju. Između ta dva osećanja prolazi ljudski život, a sveukupna ljudska kultura, civilizacija, proizlazi iz sudara tih krajnosti.

Rado sam odlazio ovom starcu upravo iz razloga što je za sve imao jednostavna objašnjenja.

– Ono što ste sada i uloga koju igrate dati su vam još u detinjstvu i sa tim se morate pomiriti. Tu nema bitnih promena tokom života. Savetujem svim svojim prijateljima da prihvate svoje bolesti kao deo njih samih, kao sastavni deo svog karaktera, mentaliteta, fizičkog sklopa, pa i prosto rečeno sudbine i da se sa tim navodnim 'bolestima' sprijatelje i žive u iskrenoj i razumnoj koegzistenciji.

Emil Najfeld je povremeno ličio na starog klovna. Njegovi starački obrazi bili su napudrani, nos krupan i kao veštački nasađen nasred lica, a oči svetle i pomalo tužne. Kome se rugao taj matori klovn? Nikom drugom nego samom životu.

Nije se mnogo iznenadio kada je saznao za smrt Solomona Levija. Da bi čovek svesno odlučio o tačnom vremenu svoje smrti neophodna je razložnost, prisebnost i iznad svega disciplinovanost. Odricanje od sopstvenog života nije samo po sebi čin kukavičluka, niti pesimizma. Solomon Levi bio je čovek koji je čuvao neku svoju tajnu. U poslednje vreme obuzimali su ga trenuci teške depresije koja iznutra uništava čoveka, ta strašna „oluja pomrčine" čini da postanete spremni da podignete ruku na sebe. Prava je hrabrost znati kada je vreme da se otmeno prihvati neumitni kraj, dragovoljno prigrli smrt. To je čin odricanja od života, odricanje od sveta, od samog sebe. To je odluka koju svako mora da donese sam, kao što je i dragovoljna smrt, smrt zadata sopstvenom rukom, nešto duboko lično. *Čovek može da podnosi patnje, ali je teško da podnosi besmislenost patnji,* tako piše Rus Berđajev. *Psihologija samoubistva je psihologija zatvaranja čoveka u samog sebe.* To je ulazak u mračne predele iz kojih se ne nalazi izlaz.

Kod Grka, Rimljana i istočnih naroda, samoubistvo je u određenim okolnostima postupak dostojan izuzetnog poštovanja. U *Talmudu* se nigde eksplicitno ne zabranjuje samoubistvo. Čuvena masovna samoubistva branilaca Masade (da ne bi pali u ropstvo), očajničko bacanje u plamen i samospaljivanje zelota posle drugog razaranja Hrama, ili masovna samoubistva desetak vekova kasnije u Jorku – radi izbegavanja pokrštavanja, slavljena su i poštovana kroz istoriju, a počinioci tih dela proglašeni su „svetim mučenicima" iako su post-talmudisti, a sa njima i hrišćanski autoriteti, tvrdili kako je samoubistvo greh veći i od ubistva, jer se tim činom odbija doktrina „nagrade i kazne" u budućem svetu, narušava Božja neprikosnovenost.

Postupak Solomona Levija, u tome sam se slagao sa starim Najfeldom, bio je u skladu sa doslednošću i hrabrošću našeg prijatelja. Prkosio je životu koji gubi smisao. Sigurno je u poslednjem svesnom trenutku, pre samog kraja, osetio kako više nema izbora i da mora da učini ono što je učinio.

Ipak, kada bih mogao, voleo bih da ga pitam da li zaista nije imao izbora.

Vest

Ana Ferija Santos donela na svet dečaka koji je sa samo četiri nedelje prohodao, a ispušta zastrašujuće zvuke i bljuje vatru.

BOGOTA – Pravi horor.

Kolumbijka Ana Ferija Santos (28) iz grada Lorika, u blizini karipske obale, rodila je muško dete-đavola, koje je prohodalo posle samo četiri nedelje, ispušta zastrašujuće zvuke i u stanju je da proizvodi vatru. Prema njenim rečima, majčinska sreća nakon rođenja mališana vrlo brzo se pretvorila u veliki strah, jer je nakon nekog vremena posumnjala da se iza detetovog lika krije pravi antihrist.

Anina beba celoj porodici uliva strah u kosti svojim ponašanjem i izgledom. Mališan je vrlo brzo ustao iz kreveca i počeo samostalno da se kreće i krije po kući.

Ima običaj da se sakrije, pa da iznenada iskoči i sve prisutne prestravi svojim urokljivim pogledom i stravičnim glasom.

– On hoda kao odrasla osoba, a često se zavlači ispod kreveta, sakriva u kofere, veš-mašinu i frižider, kao da želi namerno da me preplaši. To ne mogu da kontrolišem – rekla je nesrećna Ana u emisiji na jednoj kolumbijskoj radio-stanici.

Komšije su takođe uplašene za svoju sigurnost jer tvrde da je detence iz njihovog kraja zaposednuto zlim demonom, zbog kojeg je ono u stanju da proizvodi vatru.

– Na njegovoj odeći video sam zapaljene delove, a čuli smo i da je na mestu gde najčešće sedi ostao trag paljevine. Takođe, dete i na dlanovima ima opekotine od vatre koju ispušta – rekao je preplašeni komšija.

Zbog bojazni da će antihrist iz komšiluka nauditi njima i njihovim porodicama, komšije su nekoliko puta napadale Anu i njenog supruga Oskara Palensija Lopeza, gađali su njihovu kuću kamenjem i pokušavali da ih nateraju da napuste Loriku i odvedu svoje dete-đavola što dalje.

Doktori pokreću istragu

Kolumbijska policija i Katolička crkva odbile su da priznaju da se u duh prinove Ane Santos i Oskara Lopeza umešala crna magija, ali lekari su ipak odlučili da

sprovedu istragu i utvrde na koji način je dete pokaza-
lo takve sposobnosti samo nekoliko nedelja posle rođe-
nja. Tim sastavljen od psihologa, socijalnih radnika,
nutricionista i advokata takođe će ispitati neobičan
slučaj, a prokomentarisali su kako je dete zaista poka-
zalo određene znake zaposednutosti đavolom.

Osmo poglavlje

*Iz kojeg saznajemo kako zlo živi u ljudskom biću,
iako nije ljudskog porekla.*

*Kakvo je to čudo u meni, kakvo čudovište, i oda-
kle je?*

Sv. Avgustin

Često sam razgovarao sa Mišom Volfom o demo-
nologiji i uticaju spoljnih sila na ljudsko ponaša-
nje. Miša Volf oseća dubok prezir prema onostranom.
Uzalud ga ubeđujem da, ako želimo da objasnimo
neke pojave u psihijatriji i psihopatologiji, mora-
mo iskoračiti iz tradicionalnih tumačenja i preći u
oblasti koje su do sada za nauku i psihijatriju bile
tabu. Ja se ne ustručavam da odlazim na razgovore sa
popovima o mističnim elementima u hrišćanskom,

muslimanskom i jevrejskom verovanju. Mistika je produbljivanje vere. U prošlosti je bilo, a i danas ima mistika koji su lečili, a i izlečili neke od najtežih trauma i psihičkih poremećaja. Naravno, treba se čuvati prevara. Varalica je mnogo, ima ih na raznim stranama. Zamolio sam Mišu da sa mnom pođe u jednu posetu. Zbog neobičnosti ove posete beležim je u glavnim detaljima.

Za ovaj slučaj sam ranije čuo, a o njemu se i pisalo, senzacionalistički, naravno. Reč je o dečaku koji je napunio pet godina, ali izgleda kao starac.

Pregledao sam lekarsku dokumentaciju tog dečaka. Zabeleženo je da je oboleo od *teškog manjka hormona štitnjače. Zbog hipotireoze ne razvija se fizički, a psihički pokazuje neobične sklonosti izvanrednog pamćenja, nesporne inteligencije uz istovremeno odsustvo stvarne komunikacije i socijalizacije.*

M. N. i njegov sin žive u skromnoj kući blizu Dunava, ali daleko od svakog siromaštva. Pročulo se da je dečak „čudo od deteta", vidovit, da ima proročke moći. Otac to ume da iskoristi, naplaćuje susrete i razgovore sa petogodišnjakom. Dečakov govor je neobična mešavina – on mumla, izgovara nerazumljive reči i ispušta krike koji su više životinjski nego ljudski, a M. N. prevodi šta je dečak „rekao". Kod suseda ovaj mali monstrum izaziva strah. Jedan od suseda prijavio je policiji slučaj. Dva policajca su došla po službenoj dužnosti. Pogledao sam i njihov izveštaj. To je nekakva zbrka nastala zbog njihove nemogućnosti da procene šta su videli. Ostavljaju taj slučaj crkvi i lekarima. Očevidno, dečak ih je fascinirao i uplašio. Nazvali su to „đavolskim poslom" i na tome se sve završilo.

M. N. je pristao na sastanak pod određenim okolnostima. Tražio je da se sve pristojno plati i da ostane među nama. Prihvatio sam oba uslova i tako je došlo do susreta čiji sadržaj ovde iznosim.

Predmet: Dete đavo
Datum: Utorak, 17. juli, 2012; 15.37

„Oduvek sam želeo sina. Mojoj Ani bilo je svejedno da li ćemo dobiti dečaka ili devojčicu. A kada smo jednoga dana saznali da ćemo postati roditelji, našoj sreći nije bilo kraja.

Razgovarali smo sa njim dok je bio još u stomaku. Prvi put kada ga je Ana osetila kako se pomera, živi, čula je i njegov glas. Prislonio sam uvo na njen stomak i ja sam čuo taj glas. Bio je to glas odraslog čoveka, grub, promukao, što je izgledalo čudno, ali to je bilo naše dete i sve što je bilo njegovo bilo je i naše. Nismo se uplašili.

O čemu smo razgovarali? Zapravo, on je govorio, a mi jedva da smo nešto razumevali od sve te govorancije. Spominjao je mesta za koja uopšte nismo znali da postoje, neka imena budi bog s nama, čudna, strana imena. Samo smo se pitali, otkud sve to zna to još nerođeno detence, ko ga je tome naučio, pošto mi sigurno nismo.

Moja Ana je umrla pri porođaju. Uzeo je njen život. Siguran sam da je to bila cena njegovog rođenja.

On od prvog dana nije ličio na drugu decu. Imao je staračko lice, oči upale u očne duplje, lobanju starca. Dečkić-starac.

Ima običaj da se sakrije, pa da iznenada iskoči i sve prisutne prestravi svojim urokljivim pogledom i stravičnim glasom.

Možete sada sa njim da razgovarate."

Antonijeva priča, kako ju je M. N. preveo.

„Ne znam kako sam dospeo u tamnicu ljudskog tela. Neko me je bacio i bio sam tu. Ali ne sam. Tu je bio i zametak malog živog stvora, isprva gotovo bezobličan, a onda je počeo da dobija ljudski oblik. Iskoristio sam tog malog stvora, uvukao se u njegovo telašce.

Nije bilo načina da nekome objasnim koliko se nas dvojica u svemu razlikujemo i da ne možemo opstati jedan pored drugog. Ja sam star mnogo godina, a on je tek došao na ovaj svet. Nesrećna je okolnost što sam sa spoljnim svetom mogao da komuniciram samo preko njega. U svojoj suštini ja nisam ljudsko biće, već sasvim drugačija vrsta egzistencije, višestruka, nadmoćna, nepredvidiva. Izazivam odbojnost

jer je moje postojanje teško prihvatiti logikom ljud-
skog razumevanja stvari. Ja sam progutao svog malog
dvojnika, savladao, uništio. Kada sam dobio njegov
glas, on je postao suvišan, odbačen kao što se odba-
cuje ljuštura.

Ljudsko telo koje nosim ne odražava moj stvarni
lik, to sam isprva samo slutio i osećao, a potom i znao.
Više puta zamišljao sam, obdaren proročkom vizi-
jom, neobičnu zmijoliku spodobu koja mi je šaputa-
la o mom stvarnom izgledu. Konačno, uspeo sam da
progledam svojim unutrašnjim okom i otkrijem ko
sam ja. Ugledao sam sebe, mitskog stvora katoblepa-
sa sklupčanog na dnu svog ljudskog skrovišta, stvo-
ra razjapljene čeljusti koji proždire sebe samog, a čiji
dah može nekog pretvoriti u kamen, u neko drugo
biće ili ga ubiti. Uzimam obličje onoga koga sam
ubio. Ja sam ovaj dečak koga vidite, ali istovremeno
i nisam on. To unutrašnje proždiranje koje je otpo-
čelo trajaće dok samog sebe, do kraja, do poslednjeg
ostatka, ne progutam. Dok se duhom i telom ne pre-
tvorim u ništavilo. A ništavilo je prapočetak svega."

M. N. je, kao hipnotisan, poluotvorenih očiju prevodio
Antonijeve smušene reči, govorio je brzo, bez muca-
nja i oklevanja, kao da je ovu priču čuo već mnogo
puta. Istovremeno, dečakovo mumlanje povremeno je
preraslo u kričanje gotovo nepodnošljivo za ljudsko

uho. M. N. je smirivao dečaka, blago ga milujući po lobanji bez ijedne vlasi kose.

Kada se okončala ova tirada, prešli smo na drugi deo posete.

Postavio sam pitanje o Elijahu. Šta se dogodilo sa mojim malim bratom? Da li Antonio, koji po tvrdnjama svoga oca jednako sagledava budućnost kao i prošlost, može da odgovori na to pitanje? M. N. me je pogledao razrogačenih očiju, nisam ga prethodno upoznao s tim šta ću pitati ovog navodno svevidećeg stvora. Kada u ruke M. N. stavih dve krupne novčanice, on se pribra, i na jeziku koji su razumevali samo on i njegov dečak, ponovi moje pitanje.

Umesto nekakvog, bilo kakvog odgovora, Antonio poče da se njiše levo-desno, bela pena pojavi mu se na usnama, ručicama pokri svoje ružno staračko lice.

I ovaj mali stvor, ne znam kako bih ga drugačije nazvao, uspravi se i zanjiha u nekom čudnom ritmu na tanušnim nožicama koje su ga jedva držale, potom zavrišta i na naše iznenađenje razgovetno izgovori niz različitih imena, pretpostavljam da su to imena nekih demona sa Istoka.

– Gala, Maskim, Ištar, Tifon, Asmodeus, Azazel, Behemot, Levijatan, Samael, Lilit, Iblis...

Smejući se istovremeno hrapavim, muškim glasom, vrtelo se to majušno telašce u ritmu samo njemu znane melodije. Njegov otac, nazovimo ga ocem, sedeo je u uglu sobe, prateći dečakove pokrete i jedva primetno pomerajući usne. Ovo nabrajanje koje se ponavljalo, bilo je odgovor, odgovor bez ikakvog smisla. Onda se dečak odjednom smiri, ukoči se, samo su oči menjale boju na tom ružnom starmalom licu. Postale su zelene, zasijale nekakvom zlokobnom svetlošću.

– Bledi, prozirni dečak jaše na belom konju sa psećom glavom, pod bledom i hladnom mesečevom svetlošću... mali konjanik ispunjen je strahom i panikom, sam na leđima životinje kojom ne upravlja i koja ga nosi neznano kud...

Miša Volf izgubio je strpljenje. Još dok je trajala seansa, vrteo je glavom, mrštio se, vrpoljio, skidao naočari i brisao ih jelenskom kožom koju je nosio u novčaniku.

Sada mu se učinilo da je ovo previše.

Obratio se M. N.

– Mene teško možete da prevarite. Dobro mi je poznat trik govora iz stomaka. Nekada, kao dete, bio sam opčinjen takvim trikom. Ali više nisam dete. Nije ni ovaj gospodin pored mene. Posmatrao sam vašeg dečaka. On boluje od retke bolesti koja se naziva progerija. To je bolest ubrzanog starenja. Ružno je što koristite tragediju ovog dečaka. Pitam se da li ste vi uopšte njegov otac. Koristite njegovo očajno stanje, njegovu bolest, da na njoj zaradite. Govor iz stomaka jeftin je trik, gospodine.

M. N. nije odmah odgovorio. Njegovi obrazi se zacrveneše, oči zasijaše, u njemu se prikupio gnev, koji odjednom proključa divljom snagom.

– Vi ne verujete! Ne verujete! Hoćete da kažete da smo moj sin i ja obični lupeži?

Okrenuo se dečaku, koji je upao u neku vrstu polusna, klateći se i dalje levo-desno.

– Čuješ li, sine? On nam ne veruje!

Pljesnuo je dlanom o dlan. Dečak je zavrištao glasno i takvom snagom da sam morao da zapušim uši. Vrata susedne prostorije su se otvorila i iz nje je pokuljala čitava silesija insekata koji su puzali i leteli oko nas uz čudne zvuke, a za njima je provalilo u sobu mnoštvo pacova, guštera, zmija i kojekakvih akrepa.

Nastale su opšta vika, vriska, cika. Miša Volf me je povukao za ruku.

– Hajde, idemo odavde, odmah!

I izleteli smo iz kuće, bez osvrtanja. Kada smo već dovoljno odmakli, zadihani, seli smo na klupu pored reke da predahnemo.

– Vidite li šta su u stanju da učine sugestija i hipnoza?– reče Miša Volf brišući znojavo čelo. – Taj matori jarac zna mnoštvo trikova. Prvo govor iz stomaka, potom hipnoza.

– Vi zaista mislite da tu nije bilo ničeg demonskog? – upitao sam ga, gotovo na izmaku snaga.

– Ničeg, stvarno, verujte – odmahnuo je rukom. – Sve sami trikovi. Ljude je lako prevariti. Mnogo je manija, dragi moj. Kartakoetes, doromanija, gamomanija, onomatomanija, klinomanija, enosimanija, trihotilomanija, abulomanija... Da li vas zanima šta koja znači? – upita Miša. Odmahnuh rukom.

– A ona kojoj smo prisustvovali – nastavio je Miša ne obazirući se na moj gest – to je demonomanija, verovanje da je u telo ušao zao duh. Moram priznati da mali deluje zastrašujuće. Ali i on je samo dete koje je priroda kaznila, a taj čovek koji se predstavlja kao njegov otac je opasan šarlatan – pogledao me je i namrštio se.

– Posmatrao sam vas sve vreme. Čini mi se da ste se prepali. Poverovali ste, je li?

Sedeli smo još malo na klupi, a onda krenuli u grad. Svakih desetak koraka osvrtao sam se da pogledam da li nas neko prati.

Od svega što je Miša Volf rekao po mislima su mi se motale samo dve reči „matori jarac“. Da li mu je to slučajno izletelo ili ga je tako namerno nazvao M. N.? Zna se da princa tame posprdno nazivaju tim imenom.

Deveto poglavlje

*Skup u Njujorku. Ispovesti izgubljene i
napuštene dece.*

Da, „oluja pomrčine". Stanje opasne depresije.
Vratimo se dosta godina unazad, kada su se
upoznali Albert Vajs, Urijel Koen i profesor Miša
Volf. Sa još desetak putnika iz Jugoslavije stigli su
na njujorški aerodrom *La Gvardija*. Dočekali su ih
predstavnici američkih Jevreja, organizatori skupa. U
subotu je na Menhetnu, u hotelu *Meriot* gde su odseli,
trebalo da počne međunarodni skup *The First Inter-
national Gathering of Hidden Children During World
War II*, okupljanje dece koja su odrasla pod tuđim
imenima, koja su odrasla i spasena pod neobičnim
okolnostima. Prisustvovalo je oko dve hiljade ljudi,
kako je zabeleženo, „uglavnom pedesetogodišnjaka".

Priče koje su saopštavali učesnici skupa bile su tužne, često gotovo neverovatne, a spasenje ravno čudu. Jedna devojka iz Poljske ispričala je kako ju je majka bacila u Vislu sa mosta Ponjatovskog kada su ih nacisti vodili u logor. Izvukli su je neki dobri ljudi, drugi dobri ljudi su je prihvatili i othranili, a majku više nikada nije videla. Drugu je majka uvila u ćebe i ostavila na trotoaru.

– Ležala sam tako tri dana, niko nije smeo da me podigne jer su znali da sam jevrejsko dete. Hranio me je nemački žandarm. Dolazio je nekoliko puta dnevno sa flašom mleka, objašnjavao je da ne može da me ubije jer i sam ima kod kuće dvomesečnu bebu. Onda me je ipak uzela jedna dobra žena i pobegla je sa mnom na selo, gde me je sakrila.

I tako su se ređale priče. Svako ko je došao na skup imao je svoju. Neki su plakali dok su govorili, drugi su plakali dok su slušali. Jedna žena je rekla:

– Mene su dobri ljudi uzeli iz bolnice u Garvolinu. Znali su da sam jevrejsko dete koje je neko tu ostavio. Ko, nikada se nije saznalo. Nikada nisam saznala ime svoje majke, ime svog oca.

Francuskinja Mišel jecajući je ispričala kako su je roditelji kada je počela racija sakrili u podrum i naredili joj da ne pušta glasa od sebe. Tako je provela dva dana i dve noći dok je nisu pronašli susedi koji su je odveli na selo. Preživela je, a likovi oca i majke ostali su joj samo u maglovitom sećanju jer je tada imala samo tri godine.

Došle su na red ispovesti izgubljene, napuštene i zaboravljene dece iz Jugoslavije.

– Ja sam Ester Šapiro. Moji otac i majka upoznali su se i venčali 1940, a ja sam se rodila aprila 1941. Ljudi iz Crvenog krsta primetili su da je majka pred porođajem, uspeli su da je izvuku iz kolone i smeste u bolnicu da se porodi. A čitava familija poslata je u Aušvic. Moja se majka porodila ali posle pet meseci skrivanja u bolnici izdala ju je jedna žena. U bolnici gde sam se rodila moja majka je upoznala bolničarku istih godina. Zamolila ju je: 'Ako se meni nešto dogodi, uzmi moje dete, spasi ga.' Kada su moju majku potkazali i odveli, mlada bolničarka me je odvela svojoj kući. Moj pravi identitet morao je da se sakrije od suseda i druge dece. Tako sam odrasla pod lažnim imenom i lažnim identitetom. Tek kada sam pošla u školu, a rat je davno bio završen, moja pomajka mi je otkrila ko sam. Teško mi je bilo da to prihvatim. Bila sam u šoku. Osećala sam se prevarenom. Želela sam da se ubijem, da me nema. Da, osećala sam se dvostruko prevarenom, od pravih roditelja i od svoje pomajke.

Javila se Marija Demajo:

– Moja majka je bila u kući sa mnom i mojom sestrom. Došao je žandarm sa nalogom da je privede. Majka je počela da pakuje najnužnije stvari.

Žandarm nije mogao da se uzdrži, rekao je: 'Vi ne znate kuda vas odvode? Bar decu sakrijte. Tako imaju šansu da prežive, možda ih susedi prihvate.' Majka je brzo donela odluku, ostavila je stan i u njemu nas dve, mene od dve godine i moju sestru od četiri...

– Moje ime je Sonja. Ja nisam bila registrovana kao Jevrejka jer sam krštena u Crkvi Svetog Aleksandra Nevskog kao srpsko dete. Po moju mamu došla su dva najgora i najozloglašenija beogradska policajca, Kosmajac i Banjac. Zašto me nisu poveli sa mojom mamom? Ja sam od samog rođenja počela da poboljevam. Bila sam neuhranjena pošto smo živeli u bedi otkako je tata obešen. Ja sam od gladi obolela od rahitisa i prestala sam da hodam. Kada su došli po mamu, naša komšinica Marija upitala je Kosmajca da li može da me zadrži. A on me je pogledao i nasmejao se. Pitao je: 'Zar je to stvorenje dete? Ovo će nama da crkne u onim barakama a kod vas će da živi još nedelju dana. Zašto da je vodimo?' Eto tako sam ostala živa. Imala sam tada dve godine. Na rastanku je moja mama rekla teta Mariji: 'Imam tri želje. Pletite joj kike, ne dajte joj iglu da šije jer smo obe bile gladne uz šivenje i nemojte je učiti da se moli Bogu, jer me na današnji dan, na Bogojavljanje, odvajaju od mog deteta.' I onda su je poveli, nije me čak ni poljubila. Mnogo me muči što nemam nijednu sliku sa mamom i tatom.

* * *

Albert Vajs je govorio o očajanju što je izgubio mla-
đeg brata. Obojicu su roditelji uspeli da izbace iz voza
kada su saznali da su na putu za logor. Albert je uza-
lud tražio brata svuda unaokolo. Bila je noć, hladnoća
je ledila kosti, a on je lutao, lutao do iznemoglosti,
ali od Elijaha nije bilo ni traga. Dok je o tome pri-
čao gostima na skupu u hotelu *Meriot*, Albertu su se
suze slivale niz obraze. Govorio je potom o šumaru
folksdojčeru koji ga je pronašao i odveo svojoj kući.
Pričao je kako je odatle pobegao. Kuda je mogao da
beži sedmogodišnji dečak? Na sredini reke postojala
je ada, koju su nazivali Ostrvo mrtvih. Tu su seljaci
iz okolnih sela odvodili bolesne životinje i ostavljali
ih da tamo uginu, ili prebacivali leševe već uginulih
životinja. Albert nije imao jasan pojam o značenju
reči „smrt". Da li je smrt nešto trajno, ili privremeno,
kako se i zašto događa? Bilo je sasvim razumljivo, bar
u glavi sedmogodišnjaka, da se upravo tamo skloni.
Johan i Ingrid, šumar i njegova žena, kada su spo-
minjali Ostrvo mrtvih, spominjali su ga kao mesto
naseljeno duhovima nestalih i mrtvih.

– Proveo sam na ostrvu tri dana i tri noći. To je
bilo moje stvarno odrastanje. Među leševima životi-
nja od kojih su neki već bili kosturi, dok su se drugi
još raspadali. Tako sam saznao šta znači umiranje,
da je to nešto jednako raspadanju, nestajanju možda

zauvek, različito od nestajanja koje je pokušavao da ostvari otac kao privremeno stanje, kao neku vrstu skrivalice, ili navlačenja plašta nevidljivosti. Noću me je obuzimao strah. Strah od neprozirne tame u kojoj sam slušao glasove koji su možda bili samo moja dečja fantazija, a možda i nisu. Ko može znati šta se sve događa u neprozirnoj tmini? A kada je mesec, pun mesec, izvirio iz oblaka postajalo je još užasnije. Nisam svojom detinjom maštom umeo da odvojim ono što su samo senke, od onoga što dolazi iz nekog drugog, nepoznatog i tajanstvenog sveta. Deo tog straha još uvek živi u meni.

Treće noći Albert je osetio da ga neko dodiruje po ramenu. Širom je otvorio oči i ugledao nešto poput pramena magle, obris koji ga je po nečemu podsetio na oca. A glas koji je čuo bio je malo promukao, ali, bez sumnje, očev.

Otac mu je kazao kako je magijom zalutao i prešao u neki drugi svet, a odatle ne nalazi izlaza, osim kao duh, senka, magla. Ipak, poručio je Albertu da ne gubi nadu, pošto je ni on nije izgubio. Tamo gde ima ulaza ima i izlaza, a on će taj izlaz pronaći. To je saopštio taj pramen magle u koji se pretvorio Albertov otac.

– 'Oče, gde je Elijah?', pitao sam – Albert je nastavio da priča. –'Razdvojili smo se. Kako da nađem svog malog brata? On je još sasvim mali, ne ume da brine o sebi.' 'U pravu si', odgovorila je senka moga oca. 'Previše je mali da brine o sebi. Ali on je stalno tu gde si i ti. On te prati. Uzeo je oblik ptice, dragi moj. Pogledaj iznad sebe.' I zaista, na drvetu iznad ugledao sam ptičicu raznobojnog perja. Zamahnula je krilima, oblećući oko moje glave. Bio je to on, moj mali brat!

Jedva da je Albert dovršio svoju ispovest, a u dvorani se začuše uzbuđeni glasovi. Jedna mala ptica raznobojnog perja, došla ko zna otkuda, obletala je iznad Albertove glave. Neko se doseti, otvoriše sve prozore a ptičica načinivši još jedan krug po dvorani, zaplašena bukom, izlete napolje.

Deseto poglavlje

Kad svane dan. Ispovest Miše Volfa.

Na red je došla ispovest visokog sedog sedamdesetogodišnjaka.

– Do pre dve godine živeo sam u uverenju da sve znam o svome poreklu, o svojim roditeljima. Imao sam mirno detinjstvo na jednom salašu gde su vojske retko svraćale, bio sam višestruko zaštićen pažnjom svog starijeg brata i roditelja koji su naporno radili seljačke poslove. Mutno se sećam tih dana, stare seoske kuće u kojoj smo živeli. Imao sam lepo, mirno detinjstvo. Ali, pre dve godine, na Starom sajmištu u Beogradu, radnici koji su kopali zemlju i postavljali vodovodne cevi, pronašli su jednu plehanu kutiju, onakvu u kakve su se nekada pakovali keks i bombone. A u toj kutiji bila su pisma, fotografije, dokumenta i note originalne muzičke kompozicije koju je stvorio u logoru i onda sve to zakopao logoraš Avram Volf, sluteći kraj. U poruci koja je ostavljena među ovim papirima pisalo je: *Dragi naš Mišo, možda nikada neće biti potrebno da čitaš ovo pismo. Možda će se sve dobro završiti. Ali vremena su opasna, sve je neizvesno. Zato želimo da znaš koliko te volimo i da jedva čekamo da opet svi budemo zajedno. Mama neprekidno plače, a ja ne mogu da je utešim. Brankovi, koji te čuvaju, su naši prijatelji i oni će te paziti kao da si im rođeni sin.* Eto, tek tada sam saznao ko su moji pravi roditelji. Zahvaljujući čistom slučaju.

Miša Volf je tada otvorio futrolu sa violinom koju je nosio ispod pazuha.

– Ovo je muzika koju je komponovao moj otac u logoru, a ja sam je dovršio. Verujem da ju je namerno ostavio nedovršenu da bi uspostavio vezu sa mnom.

Zasvirao je muzičku numeru u kojoj su se preplitali motivi klezmera, kadiša, Lehe dodi... Kompozicija njegovog oca zvučala je kao oda životu u susretu sa smrću. Sve prisutne podišla je jeza, slušali su bez daha. Stari muzičar je svirao i svirao. Svi prisutni su plakali, jer su slušali glas sa one strane života, a plakao je i stari muzičar.

Šta još dopuniti u ovoj ispovesti violiniste Miše Volfa kako bi ona bila potpuna? To, kako je pronalazak kutije iz osnova izmenio njegov život. A promena života i promena identiteta u godinama kada se život bliži svome kraju, ravne su snazi unutrašnjeg zemljotresa. Istina je da je Mišina prva pomisao bila da ne otvara tu kutiju sa pismom, fotografijom i notnom sveskom, ali kada ju je ipak otvorio, upao je u provaliju vremena. Sve se učinilo lažnim – i ono što je verovao da jeste i ono što je stvarno bio.

Dok je stajao pred zgodnom plavušom, kustoskinjom Jevrejskog istorijskog muzeja koja mu je pružila kutiju sa dokumentima pronađenim na Starom sajmištu, za trenutak je razmišljao da li da uzme tu kutiju ili da odbije jer je duboko verovao kako je reč o nekoj zabuni.

– Otkud vam ideja da ja imam neke veze sa tom kutijom?

Žena je držala kutiju u rukama, očekujući da je on prihvati. – Vi ste Miša Brankov? – odgovorila je pitanjem.

– Jeste, ja sam Miša Brankov.

Žena slegnu ramenima. – U poruci koja je ostavljena među ovim papirima kaže se da ukoliko Avram i Ildi ne izađu živi iz logora, ova kutija sa dokumentima treba da se dostavi porodici Brankov koja je prihvatila njihovog dvogodišnjeg sina Mišu.

– Ma, haj'te, molim vas – odmahnuo je profesor rukom, kao da se brani.

Kustoskinja nastavi: – Pre nego što smo vas oba-vestili i pozvali, razgovarali smo sa bliskim prijate-ljem porodice Volf... sa Emilom Najfeldom. On je potvrdio da su Ildi i Avram Volf ostavili svog dvo-godišnjeg sina na čuvanje porodici Brankov.

– Nemoguće. Nemoguće – promuca profesor muzi-ke. – Dajte mi adresu tog gospodina, kako rekoste... Naj... Najfelda...

Uzeo je kutiju dok je kustoskinja ispisivala na par-četu hartije Najfeldovu adresu.

Profesor hoda kroz park noseći staru limenu kutiju. Zastane kod jedne prazne klupe, sedne. Osvrće se oko sebe. U parku trčkara nekoliko pasa unaokolo dok njihovi vlasnici stoje na travnjaku i razgovaraju. Dva mladića i jedna devojka sede ispod spomenika i piju pivo iz dvolitarskih plastičnih flaša. Neka deca se njišu na ljuljaškama koje nesnosno škripe... Profesor spušta kutiju u krilo. Poklapa je šakama. Pod prstima oseća njen metalni dodir.

Najfeld ga je dočekao ispred vrata svog stana. Bio je star, veoma star, sede kose, belih obrva, hodao je sa naporom, živeo je sam.

– Nema više nikoga iz moje generacije, ja sam poslednji svedok – rekao je.

Sedeli su u salonu, kroz staklena vrata video se neraspremljen krevet, druga vrata su vodila u kuhinju. Profesor je stavio limenu kutiju na sto.

– Ovo su mi dali u Muzeju i ispričali mi jednu neverovatnu priču.

Najfeld klimnu glavom. – Da, čuo sam. Šta je tu neverovatno?

– Ova kutija i ono što je u njoj nađeno pripada, navodno, mojim pravim roditeljima. To je toliko apsurdno... ne znam kako da se izrazim...

– Nije to nikakva priča, dragi moj. Poznavao sam i porodicu Volf i porodicu Brankov... Brankovi su imali salaš na kojem se okupljalo društvo. Porodica Vajs, Isak i Sara, sa sinovima Albertom i Elijahom koji tek beše prohodao. Najslađi mališan kog sam u životu upoznao. Vaš otac, Avram, pamtim dobro, svirao je nekoliko instrumenata... Darovit muzičar. A majka Ildi – prava lepotica. Svi smo bili pomalo zaljubljeni u nju. Vaš otac... Vi rekoste da se bavite muzikom?

Miša klimne glavom.

– Eto, vidite. Nasledno. Brankovi su imali jednog sina, Kostu...

– Kostu? Sigurni ste da se tako zvao?

– Da, Kosta se zvao... – ustao je s naporom i otišao do kuhinje. Vratio se sa poslužavnikom na kojem su bile dve šolje kafe. – Okupacija je iz osnova izmenila naše živote. Rasni zakoni, žute trake. Pa ipak, verovali smo da je sve to samo privremeno. Mnogo se užasnih stvari dogodilo. Opasno je kopati po prošlosti. Bolno.

Miša prihvati šolju sa kafom. Ćutao je jedan trenutak.

– Vi ste, znači, uvereni da sam ja Miša Volf?

Stari Najfeld klimnu glavom.

– Ne možete da zamislite šta su roditelji činili da spasu svoju decu. Uvijali su ih u ćebad, ostavljali ispred tuđih vrata, molili nepoznate ljude na ulici da ih uzmu. Vi ste ipak imali sreće. Malo njih je slutilo kakvo strašno vreme nailazi. Ja jesam. Tata je posle bombardovanja Beograda, kada su došli Nemci, morao na prisilan rad, da čisti ruševine. Uz pomoć nekih prijatelja uspeo sam da dobijem ausvajse za tatu, mamu, Volfove, sebe. Molio sam, preklinjao da pođu, ali nisu hteli. Samo je vaš otac Avram uspeo da skloni sina kod prijatelja na selo, 'dok se situacija ne smiri', kako je govorio. Ja sam oklevao da napustim roditelje, da odem iz Beograda. Moji roditelji su stradali u logoru Judenlager Zemlin. U decembru 1941. odlukom nemačkih okupacionih vlasti na mestu novog beogradskog sajma osnovan je taj logor. Logor za Rome i Jevreje. Prebacivanje žena i dece iz centra Beograda po hladnom vremenu u velike paviljone na beogradskom sajmištu bilo je vidljivo i Beograđanima. A kada je nastupila oštra zima, umiralo je sve više iscrpljenih zatočenika, pa se svakih nekoliko dana moglo videti kako Jevreji iz logora prevlače svoje umrle sunarodnike preko zaleđene Save da bi ih predali radnicima beogradske opštine radi sahrane. Marta 1942. doneta je odluka o zatvaranju logora i uništenju zatočenih u Judenlageru Zemlin. Ja sam se dugo skrivao kod jednog prijatelja. A kada sam odlučio da bežim, bilo je kasno. Uhapšen sam na železničkoj stanici. Tamo je specijalna policija postavila zamku. Imali su jednog saradnika iz naše opštine, zvao se Ruben Rubenovič, prepoznao me je, pokazao na mene prstom. I tako sam se našao na putu za Aušvic.

Nekoliko sati vožnje autobusom, zatim pešice kroz žuto polje suncokreta i Miša je bio pred velikim drvenim vratima koja su se uz škripu otvarala. U dvorištu su bili ambar, štala i skladište alata, sve sklono padu, narušeno zubom vremena. Pas vezan lancem uz svoju kućicu zalajao je. To je bilo mesto gde je odrastao. Kosta i njegova supruga Ana obradovali su se njegovom dolasku. Seli su na klupu ispred kuće, Ana ih je poslužila rakijom dunjevačom, a kada se vratila u kuću, Miša je upitao „brata": – Kole, zašto mi nisi rekao?

– Šta ti nisam rekao? – iznenadio se Kosta.

– Nisi mi rekao da nismo nikakva braća.

Kosta je samo pognuo glavu. Zaćutao je za trenutak a onda odgovorio: – Zato što ti jesi moj brat.

Uvek si mi bio brat. Od onog trenutka kada su te tata i mama doveli na salaš i kazali: 'Kole, ovo je tvoj brat', ja sam te prihvatio kao brata.

Miša je samo odmahnuo glavom. – Misliš da je to dovoljno objašnjenje?

Oči su mu se napunile suzama.

Profesor i Kosta voze se biciklima seoskim putem. Povremeno silaze sa bicikala da pređu neki uspon ili neravninu na putu. Zubato sunce se već spustilo ka horizontu, u daljini se gomilaju oblaci.

Voze se kroz bagremovu šumu i izlaze na čistinu. Zaustavljaju se pred seoskim grobljem koje čini desetina krstača i spomenika već dobro narušenih zubom vremena. Grobljanska ograda je polomljena, a većina grobova zarasla je u šiblje i visoku travu. Ostavljaju bicikle na ulazu u groblje.

Kosta ide prvi. Zaustave se pred kamenim spomenikom. Kosta razgrne iždžikljali korov. Ukaže se natpis *Jovan Brankov 1908–1985* a ispod tog natpisa još jedan: *Vera Brankov 1912–1983*. Iznad natpisa fotografija na porcelanu: Vera i Jovan iz mladih dana.

Kosta iz džepa izvuče dve sveće. Pruži jednu profesoru. Zapale sveće. Stave upaljene sveće ispod spomenika.

– Zašto mi nisu rekli? Posle rata nije bilo nikakve opasnosti, ni po njih, ni po mene.

– Nisu mogli da zamisle da ideš u nekakav dom, sirotište. Zakleli su me da ti ne kažem. Ništa ti kod nas nije nedostajalo. Voleli su te možda i više nego mene.

Profesor pogne glavu.

– Ali, ipak, zar sve to nije bila jedna velika laž?

– Nije. Voleli su te. Sve drugo je možda bila laž, ali to nije.

Tamni oblaci su sasvim prekrili sunce. Iz daljine se čuje grmljavina. Počinju da padaju prve kapi kiše. Dva stara čoveka stoje i dalje nad nadgrobnom pločom. Kosta načini korak, priđe Miši. Zagrli ga.

– Oprosti, Mišo.

– Šta, Kosta? Šta da oprostim?

– Pa, eto, tako. Sve oprosti.

Kiša pada sve jače. Ali oni se ne pomeraju.

Profesor sedi u svojoj sobi za stolom. Pred njim je otvorena kutija. Profesor iz kutije uzima nekoliko starih fotografija: Avram Volf diriguje kamernim orkestrom, portret njegove žene Ildi, njihova venčana fotografija... Njegova pažnja posebno se zadržava na fotografiji Avrama i Ildi Volf na kojoj Ildi u rukama drži dvogodišnjeg dečaka. Čovek i žena se osmehuju. Profesor okrene fotografiju. Na poleđini natpis: *juli, 1941*.

Profesor rukom pređe preko fotografije kao da tim pokretom pokušava da sa nje skine neku mađiju.

Odloži fotografiju, izvadi iz kutije pismo. Čita.

Dragi naš Mišo, možda nikada neće biti potrebno da čitaš ovo pismo... Možda će se sve dobro završiti. Ali vremena su opasna, sve je neizvesno. Zato želimo da znaš koliko te volimo i da jedva čekamo da opet svi budemo zajedno. Mama neprekidno plače, a ja ne mogu da je utešim.

Dan i noć u ušima mi odzvanja jedna melodija. Svedočanstvo o nama. Da smo bili, postojali. Sa tim zvucima ležem da spavam, sa njima se budim. Uvek sam verovao da je muzika jača od svega pa i od umiranja, od smrti, od svih ovih užasa. I nekako verujem dok ta muzika postoji, postojaćemo i mi.

Profesor spusti pismo na sto i iz kutije izvadi ukoričenu notnu svesku, ručno povezanu. Na koricama je ispisano: *KAD SVANE DAN*, a ispod naslova sitnim slovima:

> *Kad svane dan*
> *I mrtvi probude se*
> *I zora nova dođe*
> *I prođe noć*
> *Bićemo tu*
> *Kad svane dan*
> *I prođe noć...*

Profesor prelistava partituru. Očevidno nedovršenu. Udara prstima takt po stolu. Pokušava da pevuši.

Ustaje i prilazi klaviru. Uhvati nekoliko taktova. Zastane. Oseća neobično uzbuđenje, uspostavlja vezu sa svojim roditeljima. Ponovo, sada odlučnije, prebira prstima po klaviru i izvlači melodiju iz partiture koja je delimično oštećena, ponešto je jedva vidljivo, ponešto sasvim izbrisano. Pokušava da improvizuje, ali nije zadovoljan. Isprva bojažljivo, a onda sve snažnije udara po dirkama.

Tako je počela profesorova opsesija. Više puta izveo je na klaviru očevu nedovršenu kompoziciju. Ta melodija proganjala ga je danju i noću. Stizala je iz dubine prošlosti. Njegov stvarni otac Avram Volf šifrovanim muzičkim jezikom uspostavljao je vezu sa budućim vremenom, sa odsutnim sinom, ispovedao je pripovest o tragičnim danima stradanja i slao poruku koju je tek trebalo do kraja razumeti. Da bi se to ostvarilo morao je saznati nešto više o tajnama jevrejske muzike i dovršiti nedovršenu kompoziciju. Istina, znao je ponešto o sinagogalnim pesmama, da se različite pesme pevaju u sefardskim i aškenaskim sinagogama, načuo je ponešto o narodnim pesmama Aškenaza, o klezmer muzici koja vuče korene iz jevrejske tradicionalne muzike na koju je s vremenom počela da utiče muzika ostalih naroda s područja na kojima su živeli Jevreji, slušao je jednom u Budimpešti majstore klezmera, poseban utisak na njega su ostavili klarinetista i violončelista, ali ovo što je zapisao njegov otac, u okruženju bodljikavih žica, među

ljudima osuđenim na smrt, to je bilo nešto drugači-
je, neki drugi zvuk, poznat i nepoznat u isto vreme.
Izgledalo je da se nalazi pred nerešivom zagonetkom.
Ta zagonetka očito nije bila samo muzička. Odlučio
je da razgovara sa beogradskim rabinom. Rabin ga je
ljubazno primio. Čuo je za njegov slučaj.

– Mi smo mala zajednica i ovakvo nešto se brzo
pročuje. To što se vama dogodilo ravno je čudu.
Saznati istinu o svojim roditeljima posle toliko vre-
mena i na taj način.

Razgledao je note sačuvane u metalnoj kutiji.

– Znate, profesore, šta se kaže: muzika je duša uni-
verzuma. Nebesa pevaju, Božji presto odiše muzi-
kom, čak i tetragamon *Jahve* je komponovan od
četiri muzičke note. Svaki čovek je pesma za sebe,
može se izraziti muzičkim notama. Vaš otac je to
znao – rabin je na trenutak zastao. – Ovo što je zabe-
leženo jeste hasidska muzika. Postoji verovanje da se
preko hasidske muzike može osetiti duša muzičara.
Da možete čuti glas svoga oca.

To je bilo upravo ono što je Miša čuo. Glas svoga
oca. Vratio se kući sa notama kabalističkih i hasid-
skih pesama. Hasidizam je povezan sa kabalom i nje-
nim misticizmom. Profesor je bio sve sigurniji da je
ova kompozicija neka vrsta molitve koja omogućava
da se dostigne onaj važan stepen posvećenosti kada
se gube razlike između prošlosti i budućnosti, kada
se otvaraju kapije vremena.

Satima je sedeo za klavirom dovršavajući kompoziciju svoga oca. Brisala se razlika između dana i noći, sna i jave, otvarao se prostor za susret živih i mrtvih.

Jedne noći profesora probudi zavijanje sirena. Ustao je, provirio kroz prozor svog stana u prizemlju. Uličnu kaldrmu i zgradu preko puta osvetljavao je pun mesec. Vojnici sa šmajserima isterivali su ljude na ulicu. Žene, deca, starci, nosili su zavežljaje, kofere, kolona je ispunila čitavu ulicu. Čuo se dečji plač i oštri povici vojnika: „Šnel! Šnel!"

Profesor istrča na ulicu. Primetio je da svi na rukavima imaju žutu Davidovu zvezdu. Ulazi u kolonu, pokušava da se raspita šta se događa. Ali ne dobija odgovor. Čak ni nemački vojnik na njega ne obraća pažnju. Probija se na čelo kolone. Pogledom traži svoje roditelje Avrama i Ildi Volf. Ugleda ih u jednom trenutku, ali uvek kad im se približi oni nekako izmaknu.

U noći obasjanoj mesečinom jasno vidi konture Judenlagera Zemlin. U logoru zloslutnim sjajem reflektora zrači Kula, građevina u središtu logora. Svetionik u noći. Kolona se uliva u logor kao u ogromno ždrelo zveri.

Profesor pokušava da u mnoštvu ljudi prepozna lica svojih roditelja, ali oči mu zaslepljuju reflektori koji šaraju Sajmištem. Galama je opšta, napuštena i izgubljena deca jure poljanom, prolazi grupa slepih ljudi koji se drže jedan za drugog, nemački ovčarski psi neprekidno laju, vlada opšti haos.

Na otvorenom prostoru su nareрани nizovi drvenih, logoraških ležajeva na četiri sprata. Starci uzalud pokušavaju da se popnu, padaju, pa se iznova hvataju za drvene okvire ležajeva.

Čuje se automobilska sirena. Kroz širom otvorenu kapiju logora ulazi blindirani kamion „dušegupka". Zaustavlja se nasred logorskog kruga. Sve se utiša. U potpunoj tišini otvaraju se zadnja vrata kamiona. Logoraši staju u red, sasvim smireno ulaze u tamni otvor vozila. Jedan glas koji dolazi neznano otkuda, čita imena:

– Mandil Avram, Mandil Eva, Tajhner Oto, Rajs Artur, Koen Ester, Levi Josif, Švarc Geza, Kalderon Moša, Kalef Lenka, Avramović Rafajlo, Nahmijas Luna, Adanja Hajim, Melamed Moša, Đurković Adela, Kalmić Isak, Semo Lazar, Amar Solomon, Demajo Jakov, Koen Oskar, Beraha Josif, Finci Moša, Vajner Ana, Singer Šarlota, Singer Greta...

Ređaju se imena, a grotlo vozila nikako da se popuni, kao da je unutra neograničen prostor. Profesor čuje glas koji izgovara: „Ildi i Avram Volf..." Vidi oca i majku kako su zakoračili u unutrašnjost kamiona. Pre toga se osvrću, traže ga pogledom. On povika što je glasnije mogao ali nikakav zvuk ne napusti njegove usne.

* * *

Sledećeg dana profesor je pešice iz grada krenuo ka mestu na kom se nekada nalazio Jevrejski logor Zemun. Sišao je sa Brankovog mosta i prelazeći preko travnate poljane ušao na Staro sajmište. To je mesto oronulih paviljona pored kojih su nikle nove udžerice gde žive izbeglice i Romi. Nema nikakvog obeležja da su se ovde nekada nalazili, prvo logor za Jevreje, potom prolazni logor, iako su u njima stradale desetine hiljada ljudi. Došao je do mesta gde su nedavno radnici koji su kopali rupe za postavljanje vodovodnih cevi pronašli kutiju koja mu je promenila život. Još je bilo vidljivo to mesto, rov zatrpan zemljom. Profesor je pažljivo, poklonivši se, stavio buket cveća na humku. Stajao je tako nekoliko trenutaka bez reči. Zatim je iz futrole koju je nosio pod rukom izvadio violinu. Zasvirao je melodiju *Kad svane dan*, onako kako ju je zapisao njegov otac Avram Volf, sa delom koji je on, Miša Volf, njegov sin, dopisao. Bila je to sada završena, zaokružena melodija, ispunjen dug prema ocu ali i prema svima koji su sa ovog mesta otišli u smrt.

Jedanaesto poglavlje

Kuća sećanja i zaborava.

Albert nikako nije uspevao da zaspi. Ovih nekoliko dana provedenih u Njujorku i ispovesti koje je slušao dosta su ga uznemirili. Prevrtao se u krevetu, san mu nije dolazio na oči. Pogledao je na sat, ponoć je već bila prošla. Ustao je i prišao prozoru. Visoka zgrada preko puta zaklanjala je pogled. Hotelska soba odjednom mu se učinila veoma malom, bez dovoljno vazduha. Na brzinu se obukao, spustio liftom do prizemlja, prošao pored recepcije i izašao u svežu njujoršku noć.

Širokom avenijom oivičenom visokim građevinama koje su, kako se činilo, dodirivale svojim vrhovima noćno nebo, jurili su automobili. Neboderi su kod Alberta izazivali neobičnu uznemirenost i vrtoglavicu. Pružio je korak da se domogne mirnijeg dela ovog velikog grada.

Hodao je sve dalje, zašao je u potpuno nepoznati deo Njujorka i već se osećao bolje. Prolaznika skoro da nije bilo, a ni automobila. Albert pomisli kako je ovaj deo Njujorka prijatniji noću nego danju. Već je odavno skrenuo sa glavne ulice u kojoj se nalazio hotel, ne obazirući se na to što ih je organizator skupa upozorio da su pojedini delovi Njujorka noću opasni i savetovao im da ne napuštaju Menhetn. Nebo je obasjavao pun mesec, povremeno zaklanjan oblacima. Albert je poželeo da se vrati u hotel, ali je shvatio da se izgubio u spletu nepoznatih ulica. Zadovoljstvo koje je osetio zbog šetnje pretvori se u paniku i strah da je izgubljen u velikom gradu.

Lutao je izvesno vreme a onda na jednom uglu primeti svetleći natpis i otvorena ulazna vrata. Požurio je, u uverenju da će tu možda dobiti pomoć. Kada je prišao sasvim blizu, pročitao je natpis na svetlećoj reklami: *House of memories and oblivion.*

Unutra nije bilo nikoga. Nasred prostorije u koju je ušao svetleo je ekran. Prostorija je inače bila sasvim prazna, u njoj nije bilo ničeg osim ekrana. Treperava svetlost ekrana obasjavala je gole zidove.

Na ekranu se pojavio natpis: *soba sećanja.*

Albert je prišao ekranu. Ispod ekrana nalazila se tastatura sa slovima abecede. Albert je ukucao dve reči: „porodica Vajs". Ekran se za trenutak zamračio, onda su zaigrale vodoravne i uspravne linije, pa se slika stabilizovala, ugledao je oca i majku, sebe kao sedmogodišnjaka, Elijaha. Hodali su u koloni, otac je nosio kofer, majka vukla za ruku Elijaha, a on, Albert, pratio ih je u korak. Ispred i iza njih videla su se izbezumljena lica žena, dece, staraca. Ko je bio taj tajni snimatelj koji je ovekovečio ovu sliku koju Albert nije mogao da izbaci iz svog sećanja? Albert Vajs se još jednom uverio u ono u šta je, otkad zna za sebe, verovao: ništa od onoga što se negde dogodilo ne nestaje, na ovaj ili onaj način sve ostaje zauvek zabeleženo.

Video je sebe kako luta snežnim poljem, video je Johana i Ingrid, Ostrvo mrtvih... Scene su promicale brzo, smenjivale su se njemu dobro poznate slike koje je čuvao u sebi i samo za sebe. Video je kako prolazi kroz zapaljena sela, skriva se u šumi, dobija hranu od ljudi koji su se sažalili na dečaka u ritama. Dečaka koji ne odgovara na pitanja, samotnog stvora ispunjenog mržnjom, strahom i očajem. Zatim, bio je u sirotištu sa stotinama drugih dečaka, jednako divljih kao što je i on. Usledilo je bekstvo iz tog sumornog azila, hodanje prugom u nadi da će naći neki trag svojih roditelja. Gledao je kako vozovi dolaze, prolaze, odlaze. Video je svoje odrastanje, teško i mučno, Dom za decu bez roditelja u kom izgovara reči, isprva mucajući, zatim glasno i ljutito, neukroćen, ničiji. Slike su se smenjivale velikom brzinom, ali Albert ih je nepogrešivo registrovao jer to je njegov život. I konačno, ugledao je sebe, kao zrelog čoveka, na ekranu, u tom moćnom ogledalu. Stajao je sam pred sopstvenom slikom bespomoćnosti.

Pamćenje može doneti veliki bol. To je onaj bol koji Albert već dugo nosi u sebi, bol koji mu prožima čitavo telo, koji ga ispunjava, koji ne prolazi, koji vremenom postaje sve prisutniji.

Albert je stajao pred ekranom, to što je gledao video je već toliko puta i u snu i na javi, to je ono što obeležava čitav njegov život. I evo, taj bol, bol pamćenja zabeležen je kamerom i emituje se ovde, u srcu Njujorka, u sablasnoj sobi sa monitorom koji sve pamti. On pritisnu dugme kojim se isključuje slika i ekran ponovo zasvetluca treperavom svetlošću, a slika nestade.

Pogledao je oko sebe i prvi put primetio da su tu još jedna vrata iznad kojih piše: *soba zaborava*. Malo je oklevao, a onda odlučio da uđe. Sasvim malo je gurnuo vrata i ona su se širom otvorila. Našao se u drugoj prostoriji.

Velika tabla sa uputstvima na engleskom jeziku okačena je na zid. Albert u sebi sriče tekst, prevodeći uputstva na srpski. Postoji bezbroj načina da se postigne zaborav. Na policama poređanim duž zida su razne vrste tableta sa svojim latinskim nazivima, sveže i presovane biljke koje donose zaborav ako se pravilno upotrebe, raznobojna svetla koja utiču na moždane vijuge uklanjajući sve tragove sećanja i pamćenja. Brisanje je jednostavno, a postizanje zaborava potpuno, garantovano.

Za trenutak Albert je pomislio kako bi olakšavajuće bilo da istisne ovaj duboki, stalno prisutni bol kog ne bi bilo da nije sećanja na sve ono mračno, obespokojavajuće i čudovišno što čini najveći deo njegovog života. Ali, šta bi on bio bez toga, bez duboko prožimajućeg bola? U njemu se čuvaju sećanja na oca, majku, Elijaha. Taj bol je sve ono što je on sam, bez tog bola on, Albert Vajs, ne postoji. A ni oni do kojih mu je najviše stalo.

Obuzela ga je malaksalost, jedva se držao na nogama. Ipak je našao dovoljno snage da izađe na svež njujorški vazduh. Jedno vreme se teturao kao pijan, pridržavajući se za zidove. U daljini iznenada ugleda svetla svog hotela. Pođe prema tim svetlima. Posle desetak minuta hoda ušao je na vrata hotela *Marion*. Recepcioner ga je jedva pogledao.

Osećao je umor, želju za snom. Ali ne za snom koji donosi zaborav.

Dvanaesto poglavlje

Dete nasilja.

Više puta Urijel Koen je pokušavao da zabele-
ži svoju životnu priču. Godinama nosi u sebi
potrebu da saopšti sve što zna o svojoj porodici i
njenom stradanju, mnoge, kako je bio ubeđen, nepo-
znate detalje koji će još malo rasvetliti priču o Šoa.
Nekoliko puta je sedao za svoj radni sto i započinjao
sa pisanjem. Imao je pred sobom zabeleške svoje
majke, u kojima je ona sve opisala, da se ne zaboravi,
svojim sitnim, staračkim rukopisom, samo nekoli-
ko meseci pred smrt, smrt od angine pektoris od
koje je dugo bolovala. Umrla je u snu, tokom noći,
jednostavno se ujutro nije probudila. Urijel je zatekao
njeno nepomično, već hladno telo.

Sve što je zapisivao delovalo je tako banalno, mnogo puta ispričano. Sasvim je moguće da je sve što je smatrao svojim životom bila samo velika, krupna laž ili možda potpuna, nerazmrsiva zbrka protivrečnih osećanja. Nešto što stvara neprekidnu strepnju, koja nije povezana ni sa čim konkretnim, nelagodnost koja je duboko utisnuta u svakodnevicu. Od najranijeg detinjstva progonila ga je misao da će odjednom izgubiti moć govora i početi da zaboravlja reči, da će reči početi da gube svoja značenja ne bi li se na kraju pretvorile u glasove bez ikakvog smisla. Ta misao progoni ga i sada, još potpunije i ubedljivije. Mnogo toga ne može se iskazati rečima, reči su u najvećem broju slučajeva zaista lišene svakog značenja, postale su lažljive. Trebalo bi izmisliti neki novi jezik, čist, neokaljan, koji bi imao jasnoću, dubinu, snagu, koji bi bio sposoban da izrazi prava osećanja. Takav jezik, precizan i snažan, predstavljao bi najjaču odbranu od zla. *Zlo je užasno moćno, strahovito je moćno, ali je i samorazarajuće*, zabeležio je u svoj dnevnik reči fratra Ivana iz Sarajeva.

Zapravo, čitav život Urijela Koena prolazio je u senci sveobuhvatnog, moćnog zla. Veliki kabalista Isak Lurija govorio je o svetosti greha, progonstvu i iskupljenju, o strašnom unutrašnjem izgnanstvu, o najčistijem obliku zla koje se pobeđuje, a svet obnavlja, diže i uređuje tako što svaki pojedinac ispravlja i poboljšava sebe. Pojedinačan čin ima univerzalno značenje.

* * *

Šta čini „jevrejstvo"? Ko je, uopšte, Jevrejin? Pre svega onaj koga drugi vide kao Jevrejina. Urijel se dobro seća onog dana kada je seo u gimnazijsku klupu i prvog razrednog časa kada je razredni starešina, visoka, mršava pedesetogodišnjakinja Olga, prelistavajući školski dnevnik kako bi se upoznala sa svojim odeljenjem, odjednom zastala, prstom podvukla jedno ime u dnevniku i rekla: „Deco, imamo i jednog stranca u odeljenju." Pročitala je njegovo ime. Sve su se oči usmerile prema Urijelu. A njegove oči napunile su se suzama. Iako je nastavnica Olga ubrzo uvidela svoju grešku, taj prvi čas duboko se urezao u njegovo pamćenje i na neki način ga obeležio. Do tada on nije imao nikakvu posebnu svest o sebi. Od tada on u neku ruku zaista jeste stranac, iako se rodio u ovoj zemlji, govorio jezik koji su svi govorili, učio sve ono što su i drugi učili. Ali ta omaška nastavnice Olge, koja zapravo i nije bila omaška, učinila je da najtananijim čulima oseti da u neku ruku i jeste stranac, stranac u svojoj zemlji, stranac među svojim drugovima, da je „neko drugi". Imena njegovih školskih drugova bila su normalna, prirodna, a on je svoje osećao kao strano, zvučalo je na neki način skoro nepristojno, pa nije čudo da ga ni ostali nastavnici nisu sasvim dobro pamtili. Neki su ga zvali Jakov, neki Avram, neki David, koristili su uglavnom ta biblijska, malo uvrnuta imena. Istini za volju, u početku je patio zbog toga, nikome se ne poveravajući, pa ni majci, a onda je tu svoju neprijatnu posebnost počeo da prihvata kao neminovnost, kao nešto ni dobro, ni loše, što mu je dato kao i sve drugo, crte lica, stas, boja glasa... I u njemu je proradio inat koji ga je postepeno pretvarao u osobenjaka što mu je u kasnijim godinama znatno suzilo krug prijatelja, zapravo svelo ga na nekoliko osoba, takođe „stranaca". Ako je Urijel išta naučio u životu, to je da je sve moguće. Mogu se dogoditi i najneverovatnije stvari. Za jednu noć ili jedan dan život uzima sasvim drugi tok, mogu se desiti velike nepredvidive nesreće, katastrofe izazvane ljudskim ludilom ili nečim izvan ljudskog uticaja. Tako će, kada dođe vreme, i ova planeta, bez svake sumnje, nestati u nekoj nezamislivoj svemirskoj buci. Šta onda u svemu tome može da znači život nekog skrajnutog ljudskog stvora, nekakvog stranca u sopstvenom životu? Pa, ipak, Urijel se buni, on na kraju krajeva očekuje nekakvo zadovoljenje, nekakvo izvinjenje za sve ono što mu je učinjeno. Nije to želja za osvetom, samo potraga za zadovoljenjem koje odnekud i jednog dana mora stići, inače sve ostaje bez ikakve svrhe, ne samo njegov život, nego i životi drugih, ne samo njegova lična i porodična istorija, nego istorija uopšte, ona u kojoj istoričari stalno traže nekakvu logiku, nekakav smisao. Kretanje, prema čemu? Prema idealnom društvu ili prema Apokalipsi.

Ili prema sveopštem ništavilu. Neko mora biti kriv, neko mora prihvatiti odgovornost, makar posle toliko godina, za sve što se dogodilo.

Eliza, Urijelova majka, imala je na početku rata 1941. šesnaest godina. Elizini roditelji, njegovi deka i baka, Eugen i Roza Koen, bili su lekari. Na početku okupacije svi lekari Jevreji otpušteni su sa svojih radnih mesta. Jevreji su smeli da se leče samo kod Jevreja. Organizovano je nekoliko jevrejskih ambulanti. Eugen i Roza zaposlili su se u ambulanti i u Aškenaskoj sinagogi. Uslovi rada u bolnici bili su teški, nije bilo dovoljno kreveta za pacijente, nedostajali su neophodni lekovi i sanitetski materijal. Ipak, radom u bolnici Eugen i Roza izbegli su sve ono na šta su bili primorani njihovi sunarodnici: opasan i težak rad u ruševinama, odakle su Jevreji golim rukama morali da izvlače leševe u stanju raspadanja. U novinama su objavljene dve slike jedne grupe ovih radnika sa trakama na kojima je pisalo *jude*. Stražari su ih naterali da između sebe pridržavaju u stojećem stavu četiri leša bez glava. Na drugoj slici prikazana je svečana sahrana psa izvučenog iz ruševina koju prisutni Jevreji obavljaju po jevrejskom običaju. To je bio sarkastični humor novog vremena, novih vlasti. Uskoro su i vesti o streljanjima svakodnevno objavljivane na prvim stranicama novina. Gotovo svakoga dana izdavane su nove antijevrejske naredbe. Jevrejima je zabranjena poseta pozorištima, bioskopima i drugim mestima za zabavu i razonodu. Zabranjena je vožnja tramvajima. Odlukom vojnog zapovednika morali su da predaju radio-aparate pod pretnjom najstrožih kazni. Sve češća su bila zlostavljanja na ulici onih prolaznika koji su nosili žute trake. Krajem leta počela su masovna hapšenja muškaraca starijih od četrnaest godina. Nekoliko puta okupatori su uz pomoć domaće Specijalne policije upadali i u dvorište bolnice i odvodili stare i bolesne. Nije se znalo ni kuda ih vode ni zašto. Mnogo kasnije saznalo se za prvi jevrejski logor smrti – Topovske šupe, gde je likvidirana većina muškog jevrejskog stanovništva Beograda. Eugen i Roza, kao i drugi, saznavali su ponešto, ali to su bile nepovezane priče pune tako jezivih detalja da u njih nisu želeli da poveruju.

Početkom decembra Nedićevi žandarmi raznosili su po jevrejskim kućama naredbe preostalim Jevrejima da se prijave Specijalnoj policiji za Jevreje u Ulici Džordža Vašingtona. U pozivu je pisalo da svako ponese samo onoliko prtljaga i posteljine koliko sam može nositi. Stan zaključati prilikom odlaska, a kod prijavljivanja policiji predati ključeve od stana i podruma privezane na karton sa imenom i tačnom adresom. Poneti pribor za jelo, pokrivač i hranu za jedan dan. U pozivu je pisalo da će neodazivanje biti najstrože kažnjeno.

Po veoma hladnom decembarskom danu stotine žena, staraca i dece stizale su iz svih krajeva Beograda.

U dvorištu zgrade Specijalne policije za Jevreje čeka-
lo se u redovima kako bi se obavile sve formalnosti.
Posle tih formalnosti i popisa ubacivani su u otvore-
ne kamione i odvođeni na Sajmište. Prevoz se obav-
ljao preko uzanog pontonskog mosta postavljenog
između dve savske obale umesto porušenog velikog
lančanog Savskog mosta.

Logor na Sajmištu bio je ograđen četvorostrukom
bodljikavom žicom, a izolacija zatvorenika potpuna
tako da je sprečena svaka veza sa spoljnim svetom.
Pisma koja su nekim tajnim i nepoznatim putevi-
ma prokrijumčarena svedočila su o užasnim uslo-
vima života, smrzavanju, gladovanju i umiranju sve
većeg broja dece i starih ljudi. Istinu o logoru bilo je
nemoguće sakriti, a malobrojni Jevreji koji su zbog
prirode posla ostali izvan logora, sa strepnjom su
očekivali svaki novi dan. Uslovi rada u jevrejskoj
bolnici postajali su gotovo nemogući. Bolesnici su
smeštani po hodnicima, u otvorenom prizemlju pa i
u dvorištu. Zima ove prve ratne godine bila je jedna
od najhladnijih. Reka Sava se zaledila. Beograđa-
ni su svakodnevno gledali kako se iz pravca Sajmi-
šta prema Beogradu preko zaleđene reke prenose
na brzinu sklepani drveni kovčezi sa preminulim
logorašima.

Ipak, Eugen i Roza su odlučili da Eliza presta-
ne da odlazi u školu. Bilo je slučajeva kada su žan-
darmi upadali u školske učionice, izvlačili učenike

jevrejskog porekla i predavali ih nemačkom okupatoru. U prizemlju njihove zgrade u Kosmajskoj ulici stanovao je domar Sima Anđus sa svojom bolesnom, nepokretnom ženom. Bračni par Koen nagodio se sa domarom da u njihovom odsustvu vodi računa o Elizi, da joj donosi ručak, obilazi je i zaštiti u slučaju eventualne opasnosti. Ali morali su da razmišljaju i o danu kada će se bolnica raspustiti. Ako im se početkom jeseni činilo da će se vremenom situacija popraviti, sada više nije bilo mesta za optimizam. Kolebali su se šta je najbolje da urade. Eugen je u poverenju razgovarao sa domarom. Dogovorili su se da se jedna izolovana podrumska prostorija preuredi. Kupili su nešto neophodnog nameštaja, postelju, sto, stolice. U jednom uglu našla se polica sa nekoliko knjiga. Postojao je i mali prozor koji se otvarao prema svetlarniku – dovoljno da ima koliko-toliko svežeg vazduha. Ulazna vrata u taj deo podruma bila su dobro zamaskirana, tako da ih je mogao otkriti samo onaj ko je znao gde se nalaze. Domareve usluge platili su porodičnim nakitom. Iako je sve urađeno tako da se tajna prostorija nikako ne može otkriti, ipak je postojao rizik. Za skrivanje Jevreja pretila je smrtna kazna. Dogovor koji su sklopili sa domarom Anđusom činio im se sigurnim i pouzdanim. Poznavali su ga već godinama, prema Elizi je pokazivao mnogo brižne, gotovo roditeljske pažnje, znao ju je od samog rođenja, a Koenovi su ga u onim dobrim, ranijim mirnim vremenima, pa i sada kada su mogli, snabdevali lekovima koji su njegovoj teško bolesnoj i nepokretnoj ženi bili neophodni. Tako su prolazili zimski dani u stalnoj strepnji.

Novu 1942. godinu dočekali su skromno u svom stanu na četvrtom spratu. Anđus je od svojih rođaka sa sela doneo flašu rakije, jaja i kobasice. Vezivao ih je nedavni sklopljeni savez, prava zavera ćutanja. Svi su se sa zebnjom pitali šta donosi nova godina.

Eliza se navikla na samoću. Sama je učila iz školskih udžbenika, sanjarila o normalnom životu, stalno se nadajući da će jednoga dana doći kraj njenoj izolaciji. Teško i mučno nizali su se zimski dani, bližilo se proleće koje će razrešiti mnoge dileme.

Domar Anđus je preko jednog poznanika u Specijalnoj policiji za Jevreje saznao za tragičan kraj Koenovih, Roze i Eugena.

Pošto je odveo Elizu u skrovište, Anđus se vratio u stan Koenovih na četvrtom spratu. Pokupio je sve vredno što je mogao da pronađe, između ostalog i kutiju sa prstenjem, bisernom ogrlicom i kesom zlatnika. Znao je da će Gestapo ili policija ubrzo stići i zapečatiti stan, pa je rezonovao kako je bolje da on to uzme nego da ostavi njima. Računao je da postupa sasvim ispravno jer čuvanje i izdržavanje ćerke Koenovih ima visoku cenu.

Tako je započelo dugotrajno Elizino sužanjstvo. U potpunosti je zavisila od domara. Dolazio je rano ujutro i uveče, donosio hranu i izmišljene poruke od roditelja. Eliza je plakala dok joj nije ponestalo suza. Prvih dana domar Anđus nije se dugo zadržavao u tajnom skloništu. Osećao se neprijatno u devojčinom društvu, ona je od njega očekivala nove vesti o roditeljima, a on više nije mogao da ponavlja istu priču. Ali uskoro su ti silasci postali važan deo dana – bar su ga nakratko udaljavali od njegove nesreće, od žene koja je bila nepokretna i kinjila ga sve više. Primetio je da, kako je vreme prolazilo, Eliza sa nestrpljenjem očekuje njegove dolaske, bio je jedini ljudski stvor sa kojim je mogla da priča i da od njega čuje šta se događa napolju. A on je, tešeći je, osećao zadovoljstvo što ga neko sluša i što nekome nešto znači. Istovremeno, u njemu je ispočetka neprimetno, a onda sve očevidnije narastala želja da se što više približi Elizi, strast, čak pohota, možda, nešto što je teško mogao sam sebi da objasni. Njena bespomoćnost isprva ga je odbijala, a onda je počela bolesno da ga privlači. On je za nju istinski bio gospodar života i smrti. Ono što ga je u početku plašilo sada ga je oslobađalo od svake odgovornosti, svakog ustručavanja. Na Elizu je počeo da gleda kao na stvar, predmet u njegovom potpunom vlasništvu. Istovremeno, opčinjavala ga je i privlačila njena mladost i prvi put je u njoj video ženu, privlačnu ženu, toliko različitu od one rugobe,

njegove teško bolesne, nepokretne supruge koja
više nije ličila na ljudsko biće. Osećao je prema Elizi
nešto što dugo sebi nije hteo da prizna – bolesnu,
izvitoperenu ljubav u kojoj su bile izmešane grubost
i nežnost. Kada joj je prvi put dodirnuo ruku i kada
je izvadio maramicu da joj obriše suzne oči, zadrh-
tao je od dodira nežne, tople ženske kože. A ona se
privila uz njega u očajničkoj potrebi za utehom. Nije
slutila šta je njen dodir značio za snažnog, sirovog
muškarca, jer je osećala samo duboki, rastući bol
izazvan užasnom usamljenošću u kojoj je živela i
neizvesnošću jer nije znala šta se događa njenim
roditeljima. Nije imala snage da mu se odupre kada
je jedno veče životinjski navalio na nju, oborio je na
pod i silovao. Otada je navraćao svako veče, obarao je
bez reči, cepajući joj pritom odeću. Njena prvobitna
nemoć i zaprepašćenost prerasli su u bes, isuviše
slaba da se odupre, grizla ga je i grebala, ostavljajući
na njegovim rukama ujede i ožiljke, a on joj je vraćao
šamarima i grubim udarcima pesnicom. Na kraju,
ona je prihvatila tu sramnu, ponižavajuću poziciju
žrtve, na ivici živčanog sloma i ludila. Nije bilo nikoga
da pomogne, nije imala nikakvu zaštitu. Čitav Elizin
život suzio se na duboku fizičku i moralnu patnju, na
četiri podrumska zida i život u tami i nasilju.

Urijel se rodio krajem 1942. Dala mu je ime po
svom dedi, kantoru u beogradskoj sinagogi. Sama je
zubima pregrizla pupčanu vrpcu. Isprva je poželela

da zadavi tog malog stvora koji je rođen iz nasilja, dete mržnje a ne ljubavi, ali onda ga je prigrlila i nije dopustila Anđusu da mu priđe. Nasilni domar je bio zbunjen, pokušavao je da je nagovori da se oslobode deteta. Eliza ga je već dobro poznavala. Bio je siledžija ali i slabić. Prestala je da obraća pažnju na njegove pretnje. A onda, kako su dani prolazili, on je počeo da se menja. Pokušao je da je pridobije. Uočavao je na dečaku crte lica koje su ličile na njegove. Eliza se, međutim, potpuno zatvorila. On za nju više nije postojao. Mali Urijel je rastao u okruženju mržnje, bez dnevne svetlosti, naučio je da puzi i prohodao u toj tamnici, u podzemlju, u tom svedenom i ograničenom svetu potpune neslobode. Ali, zar je svet napolju bio slobodan? Za nju i malog Urijela izlazak bi značio deportaciju u neki od logora smrti. Eliza je često o tome razmišljala: smrt je mogla biti oslobađanje od užasnog, ponižavajućeg ropskog života. Ali rođenje sina udaljilo ju je od te misli. Sada je sanjarila kako će ovo detence koje drži u rukama i koje će jednoga dana postati čovek, izrasti u osvetnika koji će naplatiti visoku cenu za sve sadašnje patnje. I ta misao o osveti koja se ugnezdila u njenoj glavi pomogla joj je da izdrži i ne preda se.

* * *

Mali Urijel je ugledao dnevno svetlo tek u svojoj trećoj godini. Moglo bi se, alegorično ali i bukvalno, reći da je ispuzao iz svog polumraka na dnevno svetlo. Bilo je to ravno najvećem čudu: ulice, visoke zgrade, mnoštvo ljudi, nebo, oblaci, sunce – sve ono za šta do tada nije znao da postoji. Nesigurno je hodao na svojim rahitičnim nožicama, pridržavajući se za majčine skute. Eliza je iskoristila trenutak nepažnje svog čuvara koji je zaboravio da zaključa vrata njenog zatvora. Bio je uplašen, zbunjen, već deset dana odjekivala je tutnjava topova, potom mitraljeski rafali, pojedinačna pucnjava. Svet se još jednom okretao naopako. Anđus je nestao. Kasnije, u njegovom stanu, na jednom od kreveta, otkriven je poluraspadnut leš žene.

Eliza se vratila u stan na četvrtom spratu. Vratila se sa svojim kopiletom, dečakom koga je volela i mrzela. Susedi su izbegavali nekadašnju lepo vaspitanu, lepuškastu devojčicu, koja se za nekoliko godina sasvim izmenila, fizički i psihički. Postala je osorna, neprijatna, u njenom ponašanju bilo je nečeg odbojnog. Lice joj je ogrubelo, imala je tamne podočnjake i ugašen pogled, u jednom telu sada su se našle izbezumljena devojčica i umorna starica. To i jeste bila ona vrsta zastrašujućeg ludila, onog ludila kojeg se takozvani normalan svet užasava i plaši. Šta su svi oni mogli da znaju o paklu u kojem je živela? Njeno stanje se još više pogoršalo kada je saznala za tragičan kraj svojih roditelja, a i strašnu istinu da su joj svi dalji i bliži rođaci stradali. Na nekoliko meseci izgubila je moć govora, samo je zamuckivala, tresla rukama, uterujući strah i svom neželjenom detetu. A posle tih nekoliko meseci konačno se sasvim povukla u sebe, u otuđenost koja je bivala sve vidljivija, ne više kao neko prolazno stanje nego kao dugotrajno, iscrpljujuće stanje neskrivene patnje. Urijelu nikada nije do kraja otkrila ko mu je otac i šta se sa njim dogodilo. Kako je bivao stariji naslućivao je da se iza svega toga krije mračna tajna.

Jednoga dana, u maju 1952. neko je zakucao na vrata njihovog stana. Urijel je otvorio vrata. Pred njim je stajao čovek sav u ritama, obrastao u dugu bradu. Kada je ugledao Urijela, pokušao je nešto da kaže ali se gušio u suzama. Iza Urijelovih leđa pojavila se Eliza. Za trenutak je zastala bez reči a onda je počela da viče:

– Gubi se! Kako si smeo da dođeš?

Gurnula je Urijela nazad u stan, zalupila vrata. Sva se tresla, obujmila je Urijela oko grudi, pritisla ga uz sebe. On je tada naslutio, iako nije imao nikakvih dokaza, da je pojava skitnice u nekakvoj vezi sa njegovim ocem. Nikada o tome nije pitao majku, a ni ona nije rekla ništa o tom susretu.

Eto, takvo je bilo Urijelovo rano detinjstvo, provedeno u atmosferi potisnute nesreće, tajanstvene prošlosti i, slobodno se može reći, majčine psihičke poremećenosti.

* * *

Kada je i kako Urijel postao Jevrejin? To je pitanje koje je kasnije, mnogo kasnije, Urijel, Uri, kako su ga zvali malobrojni drugovi, postavljao sam sebi. Majka nikada nije spominjala jevrejstvo, niti su je njeni tragično stradali roditelji vaspitavali u duhu jevrejske tradicije. Nisu je vodili u sinagogu, oni su po svemu, i sami su u to verovali, bili više Srbi nego Jevreji. Sebe su videli kao asimilovane, kao Srbe „Mojsijeve vere". A i to „Mojsijeve vere" bilo je više neko neobavezno obeležje razlike koja je postojala a sada se izgubila, nego suštinsko određenje ili versko obeležje. Antisemitizam koji se tu i tamo javljao, njih nije dodirivao, to je bio problem antisemita, a ne njihov. Zaboravili su i ladino i jidiš koji se još govorio u prethodnim generacijama, a sećanja na prošlost bila su veoma maglovita, već izgubljena i potonula u dubinama proteklog vremena. Izgubila se čak i solidarnost sa Jevrejima koji su iz nekih evropskih država bežali pred progonima. Eugen i Roza nikada nisu videli Palestinu kao svoju domovinu, nije im bilo ni na kraj pameti da podržavaju cionističke ideje. Oni su, jednostavno, bili uvereni da su postali stopostotni Srbi. To što su početkom okupacije obeleženi kao Jevreji i prisilom određeni da rade u jevrejskoj bolnici predstavljalo je za njih pravi šok i veliki nesporazum. Njihovo nepostojeće, izgubljeno „jevrejstvo" vezalo im se kao uže oko vrata. Ponovo su, uprkos svemu, postali Jevreji zato što su ih drugi videli kao Jevreje. Na kraju su to platili glavom.

Urijel je bio Jevrejin samo po tome što su ga drugi videli kao Jevrejina. Ne zato što ga je Eliza tako vaspitala, ona je činila sve suprotno. Osećala je gnev i mržnju prema svom poreklu. Ta pripadnost, pripadnost prokazanom narodu, bila je uzrok svih njenih stradanja i velikih nevolja, ubila joj je roditelje, predstavljala je pretnju njenom detetu. Detetu koje je bilo njena kazna, njena neraskidiva veza sa užasnom prošlošću, ali i njena najdublja ljubav.

Tinitus

Doktor Edo Pilsel je završio pregled.

– Gospodine Alberte, sa vašim ušima sve je u redu. Taj zvuk ne dolazi spolja. On je u vama. Duboko u vama dokle nijedan lekar ne može dospeti. Svaki peti čovek ima problema sa *tinitusom*. *Tinitus* nije bolest. To je stanje. Na taj zvuk kretanja voza, kloparanja točkova morate se priviknuti. Ako je za utehu, u moju ordinaciju dolaze ljudi koji čuju hučanje vodopada, grmljavinu, zavijanje sirena. Voz u pokretu? Prihvatite to kao neminovnost, nešto sa čime morate živeti.

– Ne, doktore, ne mogu da prihvatim. Za mene je taj zvuk strašniji od svih drugih. Zvuk na koji se ne mogu priviknuti.

Vest

Istraga zbog slika naslikanih pepelom žrtava logora.

VARŠAVA, 7. decembra 2012. – Tužilaštvo u Poljskoj, a za njim i policija u Švedskoj, poveli su istragu protiv švedskog umetnika Karla Mihaela fon Hausvolfa zbog izložbe slika naslikanih pepelom žrtava nemačkog koncentracionog logora Majdanek koji se u Drugom svetskom ratu nalazio na istoku okupirane Poljske.

U švedskom gradu Lund početkom decembra otvorena je u jednoj privatnoj galeriji izložba akvarela kontroverznog slikara i kompozitora. Slikao ih je vodenim bojama u koje je umešan pepeo Jevreja koje su nacisti likvidirali u Majdaneku.

– Uzeo sam malo pepela iz peći krematorijuma prilikom posete 1989. godine. Nisam ga tada iskoristio za izložbu. Suviše je nosio u sebi surovost onih vremena.

Pre dve godine uzeo sam kutiju s pepelom i odlučio da nešto s njim uradim. Pojavili su mi se likovi kao da je pepeo nosio energiju, uspomene i duše mučenih, maltretiranih i ubijenih ljudi – kazao je o akvarelima švedski umetnik.

Izložba je izazvala proteste i u Švedskoj i u Poljskoj, gde je Muzej bivšeg nacističkog logora Majdanek takvo skrnavljenje ostataka žrtava uporedio s krađom table sa napisom „Rad oslobađa" sa kapije najveće nacističke fabrike smrti, logora Aušvic na jugu Poljske.

Trinaesto poglavlje

Emil Najfeld na svoj devedeseti rođendan otkriva
kako je pamćenje strašnije od zaborava.

Mnoge događaje iz svog života želeo bih da zaboravim. Ali, to nije moguće. Jedan kabalista je zapisao: *Mi smo Božje pamćenje.*

Pamćenje je strašnije od svakog zaborava.

O ovome nisam do sada nikome pričao.

U Aušvicu sam bio član „nebeskog odreda", „crnih gavranova" ili zonderovaca, kako su nas sve zvali.

Kada su žrtve ugušene gasom, ulazili smo mi iz „nebeskog odreda", leševe smo, pošto su im povađeni zlatni zubi, tovarili na kolica i odvozili do peći za spaljivanje mrtvih. Potom smo pepeo u džakovima iznosili i ostavljali na đubrištu.

Posle izvesnog vremena prestao sam da osećam sažaljenje, osećao sam jedino stid i krivicu.

O tome pričam prvi put. Mnogo je godina prošlo, ali te slike užasa nemoguće je zaboraviti. Nemoguće je potisnuti nešto što je postalo deo mene, zauvek.

Ono o čemu i danas razmišljam jeste: kako nam se sve to dogodilo? Pre nego što se dogodilo, nismo verovali da je takvo nešto moguće. A kada se dogodilo, počeli smo se navikavati na to zlo, koje nas je paralisalo, oduzelo nam svu snagu, osim snage za preživljavanjem, a sve ono što nam se nekada činilo suludim, neprihvatljivim, nemogućim, postalo je i moguće i prihvatljivo, jer je to bila naša jedina stvarnost. I iz te stvarnosti nije bilo bekstva, svaka druga stvarnost bila je ukinuta i nepostojeća.

Mi smo videli zlo koje je dobilo svoje lice: lice gestapovca. Zlo postoji tek kada dobije lice. Kada dobije svoju telesnost, svoju apsolutnu moć da smlavi, uništi. Tortura se utiskuje u duše žrtava, ništa ne postoji izvan torture. To je jedina realnost. I saznanje o postojanju zla nanosi bol, jednako moralnu i psihičku kao i fizičku.

Svi mi koji smo to prošli, malobrojni koji smo preživeli, nikada se nismo oslobodili poniženja i straha, život više nije bio život, izgubio je svaki smisao. Kada se izgubi vera, kada se izgubi nada, sve se pretvara u veliki nered, u rastrojenost koja se bliži ludilu i depresiji. Nisu ljudi izvršavali samoubistva u logoru, nego posle logora pošto su shvatili da se prošlosti ne mogu osloboditi. Zlo, kada se jednom ukoreni, ono se širi i postaje sveobuhvatno, zahvatajući sve, i pravedne i nepravedne, žrtve i dželate. Sve menja i izobličuje.

Unutrašnje urušavanje preobražava se u gubljenje svakog smisla.

Poricati postojanje zla može samo onaj ko ga nije doživeo, ko nije video njegovo otkriveno lice. *Logor je monstruozna mašina za proizvodnju životinja*, napisao je logoraš Primo Levi.

Šta nam u svemu što smo proživeli nedostaje? Nešto jako važno, za čim tragamo, uzalud tragamo. Nedostaje smisao našeg stradanja. A zlo upravo svemu čega se dotakne oduzima smisao.

Četrnaesto poglavlje

Pismo o samomržnji.

D ragi i poštovani Urijele,
  Ono što vas muči i uznemirava, osećanje da mrzite samog sebe, dobro mi je poznato.

Samomržnja je u stvari, ako hoćemo da budemo sasvim iskreni, tipičan jevrejski sindrom. Ovaj neobičan i neuobičajen način ponašanja iskazuje se kroz pokušaje društvenih autsajdera da skinu teško breme „drugoga i drugačijega", da se oslobode onog često nepodnošljivog stanja u kom se nalaze protivno svojoj volji a najviše zahvaljujući stereotipima prihvaćenim od većine. To je teško, gotovo nemoguće, jer privilegovana većina ne prihvata promenu ustaljenih stereotipa. Uzalud zamena imena, promena načina ponašanja, odricanje od nacionalne i kulturne pripadnosti, socijalnog položaja – autsajder ostaje autsajder. Takva osoba sa margine društvenog života koja ne uspeva da, uprkos svim svojim naporima i ustupcima koji idu do odricanja od suštine sopstvenog identiteta, postane ravnopravan član zajednice, svoje nezadovoljstvo, svoj očaj izražava samomržnjom. U samom sebi, u svojoj manjinskoj grupi traži i nalazi glavnog krivca za nemogućnost stvarne i potpune asimilacije. Tako dolazi do onih sumanutih situacija da postoje Jevreji antisemiti i Jevreji nacisti. To izopačeno patološko stanje može se u naše vreme otkriti i u ponašanju raznih drugih manjinskih i izdvojenih grupa i pojedinaca, svuda tamo gde nema stvarne jednakosti i poštovanja razlika.

Za dalje čitanje preporučujem Vam Brohov opširan esej o Hofmanstalu i njegovom dobu, esej Isaije Berlina o Mozesu Hesu i studiju autora Sandera Gilmana – *Jevrejska samomržnja (antisemitizam i skriveni govor Jevreja).*

S poštovanjem i najboljim željama, uvek na usluzi, Vaš Emil Najfeld.

P.S. Svi mi, u meri u kojoj nas je društvo odbacilo ili nije prihvatilo, poznajemo taj osećaj samomržnje. Želimo da budemo kao i svi drugi, ali nam to ne dozvoljavaju, razlikujemo se po veri, ili po boji očiju.

Šta nam preostaje nego da mrzimo sebe, onaj deo sebe koji čini tu razliku.

Poštovani Urijele,

Dopunjavam odgovor na Vaše pitanje. Osećam potrebu da to učinim.

Počeću citatom profesora Jana Asmana: *Svakih četrdeset godina epohe u kolektivnom sećanju, prošlost se reinterpretira, pa se danas o najvećem zlu današnjice govori s manje strahova, pronalaze se neke druge, „veće" opasnosti. Nestaju živi svedoci, naučene lekcije prestaju biti žive i inspirativne, mediji, a često i istoričari, slede modu ili diktat političara, pa iz sadašnjosti, kako je pisao Erik Hobsbaum, „ispravljaju" prošlo.*

Koliko je, gospodine Urijele, ostalo nas koji smo svedoci epohe, jedne od najstrašnijih epoha u sveopštoj ljudskoj istoriji? Ostalo nas je samo nekolicina, a svakim danom sve nas je manje. Moj kraj je sasvim blizu, stid će me nadživeti kao onog Kafkinog junaka, krivog bez ikakve krivice.

Vi pripadate drugoj generaciji, generaciji naše dece, naših sinova i kćeri, naših unuka koji o svemu znaju pomalo, iz priča koje ni približno ne mogu da opišu stvarnost užasa u kojem smo živeli. Bio bi potreban nepostojeći jezik da se ta istina ispriča na pravi način. Nisu to moje reči, to su reči Prima Levija i Žana Amerija. Pisali su o tome i izvršili samoubistvo.

Nedavno se ubio i Solomon Levi koji je imao opsesiju da na jedinstven, neponovljiv način istraži i saopšti pravu prirodu zla, da uradi ono što još niko nije uradio, da se upusti u tu mračnu avanturu. Prikupio je mnogo materijala, ali, verujte mi na reč, od biblijskog Jova do današnjih dana, čuju se samo vapaji, a nema pravog odgovora. Šta je Zlo, kao pojam, kao misao, kao život? Ima vremena, ima mesta gde se ono gotovo može dodirnuti, gde se oseti njegov ledeni dah, gde se materijalizuje. Ali, niko, ama baš niko, nije uspeo da ga dobro i ispravno definiše. Toliko je zla svuda oko nas, a i u nama, a toliko malo zadovoljavajućih opisa i odgovora. Zlo se pokazuje i manifestuje na mnoštvo načina, pojavljuje u nebrojeno oblika, ali niko nije u potpunosti izrazio njegovu suštinu, razlog i smisao postojanja. Tražio sam odgovor i u knjigama koje su pokušavale da razreše tu dilemu. I znate koji su bili najčešći odgovori? Da zlo nije nešto određeno, da nema svoju suštinu. I da se pitanje „Šta je zlo?" mora zameniti pitanjem „Zašto se čini zlo?" Ja sam počeo da verujem, a to uverenje pretvorilo se u dokaz da postoji neka sila, prirodna ili neprirodna, neka mračna opstrukcija da se dobiju važni i istiniti odgovori. Oni koji su pokušavali da proniknu u to zabranjeno stanje zasnovano na sopstvenom iskustvu završavali su manje-više tragično.

Jedno od prvih pitanja koje sam sebi postavio svojim oskudnim detinjim rečnikom bilo je: Zašto postoje ljudi? Pitanje se, naravno, čini besmislenim. Ali, dragi moj Urijele, danas uviđam da je to pitanje, iako izgovoreno dečjom naivnošću, do danas ostalo bez odgovora iako ga postavljaju najumnije ljudske glave. Tako nema ni odgovora na pitanje zašto postoji zlo. Neki ovu dilemu rešavaju tako što zlu daju metafizičku dimenziju, van našeg saznajnog iskustva, u zamračenim oblastima misterije i okultnog. Ali, dragi moj, čitav naš život zaogrnut je velikom misterijom. Neke stvari jednostavno ne možemo shvatiti, naš um nije tome dorastao.

Petnaesto poglavlje

U kojem Urijel Koen otkriva postojanje
„utvarnog posmatrača".

Dragi i poštovani Emile,
Ne osećam se dobro. Što sam stariji postajem podložniji mučnim mislima. Dok sam bio mlađi nekako sam uspevao da se sa time izborim. Možda sam verovao da vreme, kako se to govori, leči sve. Postajem sve uznemireniji, nelagodnost koja me ne napušta izaziva gotovo fizički bol. Ravnodušnost mi se nekada činila kao greh, danas bih je dočekao kao spas. Nemam ni samopoštovanja, ni samopouzdanja, samo strah, strah, ne znam od čega, od koga, ali taj neodređeni strah ispunjava mi i dušu i telo, ispunjava svaki dan, od jutra do večeri, javlja se i u snovima. Biće tako do kraja, ako kraja uopšte ima, ako

nas tamo, negde u nepoznatom svetu ne čekaju nova iskušenja, novi jad. Užasna je slika tog beskraja gde ne započinje ništa novo, nego se iznova i iznova samo ponavlja sva ta nesreća.

Negde sam pročitao da je u pripremi veliki rat ljudi protiv mračnih sila koji će se okončati u opštoj anarhiji. Ledena zima okovaće zemlju, a senka velike apokaliptične zveri zakloniće sunce. Zavladaće sile zla, nastaće požari na sve strane i konačno će čitav svet potonuti na dno mora. Takav kraj svega živog je neminovan, to je suđeno. A onda, kažu proročanstva, sa dna mora izroniće novi svet u kojem će vladati dobro, a ne zlo, u kojem za nas neće biti mesta, mi smo u zlu nastali i sa zlom ćemo i nestati.

Ako se takvo nešto i dogodi, to su zasad samo predskazanja, utemeljena na mitovima raznih naroda, može li to biti neka uteha? Uteha da će se sve vratiti u ništavilo iz kog je poteklo, da će sve biti poništeno kao da se nije ni dogodilo. Pa ako se to ostvari, čemu onda ova patnja, besmislena i bezrazložna, koja vlada našim životima?

Poštovani Emile,

Ne znam kako bih nazvao stvarnost u kojoj živim. To nije stvarnost, to je bolest, verovatno neka bolest koja, sigurno je, ima i svoj medicinski naziv. Ne znam da li ste ikada osetili ono što ja osećam, da je svaki moj pokret, svaka, pa i najskrivenija misao nadzirana i praćena, da je postojanje tog „utvarnog posmatrača" nesumnjivo. Taj moj dvojnik, mirno, bez uzbuđenja, prati kako tonem sve više u sopstveni mrak i u tome nalazi neko nastrano, sladostrasno zadovoljstvo. Možda grešim što ga nazivam dvojnikom. Ne znam odakle dolazi i ko ga šalje, ali je uvek tu da obezvredi svako moje iskreno osećanje, da nadmoćno i bez trunke samilosti ismeje, izvrgne ruglu dubinu i težinu moje bolesti. Kako se sa time može živeti? Kako živeti sa tim likom u ogledalu koji je sve ono što ja nisam, ali od koga nemam gde da se sklonim? Da li je moguće da sam ja i taj drugi, ta senka, ta utvara koja me tera u sumanutost, pomračenje svesti, na stalno podsećanje da sam neželjeno dete, „kopile" kako me je majka nazivala u trenucima svog bezumlja i očajanja?

Uveren sam da biste mi pomogli, kada bi bilo načina. Da bismo jedni drugima pomogli, kada bi se to moglo. Ali, svako od nas nosi svoj bol, zatvoren u sopstvenim sumnjama, svako nosi svoj krst, svako umire u potpunoj usamljenosti.

Samo pokatkad, reči mogu postati mostovi preko kojih jedni drugima prilazimo.

Ne zamerite, u Vama vidim oca koga nikada nisam imao, a kakvog sam otkad znam za sebe želeo da imam.

Vaš Urijel Koen

Vest

*Nemački neurolog tvrdi da je pronašao
deo mozga u kojem se skriva „zlo".*

Doktor Gerhard Rot naučnik je iz Bremena koji je objasnio da se „skriveno zlo" nalazi u središnjem delu mozga te da je kao zatamnjenje vidljivo na skeneru.

Taman deo na donjem delu čeonog režnja redovno se pojavljuje na snimcima mozgova ljudi koji su kažnjavani zbog nasilja. Ako pogledate snimke mozga teških kriminalaca, uvek nešto nije u redu u tom predelu. Ovo je definitivno deo mozga u kojem zlo nastaje i iz kojeg vreba.

Rot kriminalce deli u tri skupine: prvi su „psihički zdravi", odrasli u okruženju u kojem je „u redu tući se, krasti i ubijati", drugi su oni sa mentalnim poremećajima koji okolinu doživljavaju kao pretnju, a u treću skupinu spadaju „čiste psihopate".

Šesnaesto poglavlje

Neočekivana poseta. Albert Vajs saznaje tajnu
svog prijatelja Solomona Levija.

Bilo je ono vreme kada se dan povlači, a nastupa sumrak koji prethodi noćnoj tami. Vreme kada stvari gube svoje dnevne obrise, dobijaju senke i menjaju oblike. Pravo doba za prikaze i nestalna noćna stvorenja.

Neko je zazvonio na vrata Albertovog stana. Alberta je podišla jeza. Ko to može biti? Za trenutak je pomislio da ne odgovori, da se smanji, nestane, da ne postoji za nezvanog gosta. Sa susedima nije održavao nikakve odnose. Albert nije imao nikakva posla sa vlastima, nije imao rođaka koji bi ga mogli iznenaditi. Neznanac je uporno zvonio. Zatim zakuca na vrata, a onda se začu i grebanje kao da taj pred vratima ima mačje kandže.

Kada je Albert, oklevajući, ipak otvorio vrata, pred njim je stajao visoki, mršavi stranac, bled kao da nije živ stvor, tamnih očiju duboko uvučenih u očne duplje. Mora da je prilično star o čemu svedoče staračke pege koje mu pokrivaju veći deo lica. Kada stranac progovori, Albert u istom trenu shvati da je to isti glas koji ga budi usred noći.

– Gospodine Alberte, mogu li da uđem?

Umesto odgovora Albert se samo malo odmaknu, pustivši nepoznatog u sobu. Prijatelj? Neprijatelj? Na kraju, zar to nije svejedno, ima mnogo toga goreg od čega ne ume i ne može da se odbrani, pa ako je već tako, neka ova avet uđe u njegov stan i njegov život. Da li je ovo živ čovek ili samo nekakva prikaza izašla iz njegove mašte?

– Moje ime vam ništa ne znači. Zato se neću posebno predstavljati.

Glas nepoznatog posetioca se gubio, povremeno prelazio u šapat, kao da čitav organizam polako posustaje i više ne sluša svoga gospodara.

– Došao sam da obavim zadatak, odnosno ispunim molbu Solomona Levija.

Iz torbe izvadi kutiju išaranu različitim tajanstvenim znacima, očevidno znamenjima nekakve sekte. Albert se priseti da je jednu od tih šara neko ispisao sprejom na ulaznim vratima zgrade Solomona Levija i da je kasnije, na grobu svog prijatelja ugledao isti simbol formiran od kamenčića.

– Solomon me je zamolio da vam ovo predam posle njegove smrti.

Albert je bez reči preuzeo kutiju. Zbunjeno je razgledao na njoj iscrtane simbole.

– Solomon Levi bio je Donmeh.

– Donmeh? Šta to znači?

– Mi Donmehi smo sledbenici Sabataja Cevija. Ima nas više hiljada. Tajno sledimo njegovo učenje.

Neznanac je zastao za trenutak.

– Prihvatamo judaizam i islam. Nismo konvertiti mada nas neki tako zovu. Naše izvorno učenje opisano je u kabali.

– Kažete, poznavali ste Solomona?

Neznanac klimne glavom.

– Poznavao sam ga veoma dobro – osmehnuo se, jedva primetno.

Okrenuo se, kao da je previše rekao. Pošao je prema vratima, ne gledajući više Alberta, želeći da što pre nestane iz Albertovog života pošto je obavio svoj zadatak.

– Zbogom, gospodine.

Albert je zaustio da ga nešto upita ali za to je već bilo kasno.

Neznanac je brzim koracima gotovo nečujno silazio niz stepenice. Albert je u ruci držao kutiju Solomona Levija. Pažljivo ju je zagledao sa svih strana. Samo se kratko kolebao a onda je otvorio kutiju.

Unutra se nalazilo pismo.

Sedamnaesto poglavlje

Ispovest Solomona Rubenoviča. Kutija sa pismom otvorena na Jom kipur.

Alberte, prijatelju. Oprosti. Živimo u obmanama. I ja sam samo jedna obmana više. Solomon Levi nije moje pravo ime. Moje pravo ime je Solomon Rubenovič. Moj otac je Ruben Rubenovič. Ako si zadrhtao na pomen ovog imena, ipak, preklinjem te, pročitaj pismo do kraja.

Odrastao sam u porodici pobožnih Jevreja. Vaspitan sam da poštujem zakone Halake, za praznike odlazim u sinagogu, za šabat palim sveće. Ne, nismo bili ortodoksni, takvih kod nas nije bilo, ali smo držali do svoje vere i svoje tradicije.

Bio sam slabašno, bolešljivo dete nad čijom su sudbinom roditelji neprekidno strepeli. Najviše njihovih molitvi bilo je upućeno za moje zdravlje. Zaista, kada sebe pogledam na nekim od malobrojnih sačuvanih fotografija iz tog vremena, izgledam nekako prozirno, ne kao dečak, nego kao duh dečaka kog i najslabiji vetar može oduvati.

Ali ono što nije bilo dato mome telu, bilo je i te kako obilato utisnuto u moj duh, to mogu da kažem bez lažne skromnosti. Već sa desetak godina poznavao sam nekoliko jezika: jidiš, hebrejski, francuski, engleski. Učio sam jezike takvom brzinom i lakoćom da je to tumačeno kao znak da sam obeležen za neki viši cilj. Imali smo bogatu biblioteku, to je bilo jedino naše stvarno bogatstvo, porodično nasleđe, pa sam od najranijeg doba zadovoljavao svoju veliku strast za čitanjem, ispočetka bez posebnog biranja knjiga jer je svaka za mene predstavljala pravo čudo. Čitao sam i kada mnogo toga što je napisano nisam shvatao, takve tekstove razumevao sam na neki svoj poseban način. Čitanje knjiga u godinama sazrevanja, kada zbog svog stalno ugroženog zdravlja gotovo nisam izlazio iz kuće jer su se roditelji plašili da me napolju čekaju hiljade najstrašnijih bolesti kao hiljade demona, ispunjavalo me je nekakvom unutrašnjom radošću. Razgovarao sam sa knjigama, ispovedao im se, živeo sa njima, knjige su popunjavale onu golemu prazninu nastalu usled nedostatka druženja sa vršnjacima. Na neki način bio sam izdvojen iz života, ali istovremeno ispunjen životom opisanim u knjigama, za koji sam počeo da verujem da je jedini istinit i pravi.

Uostalom, za nas se kaže da smo narod knjige, a ja sam i u bukvalnom smislu postao zavisan od knjiga. Neke od tih knjiga, one koje sam posebno voleo, bile su veoma stare. Dok sam okretao požutele listove ponekad mi se činilo da će se svakoga trena pretvoriti u prah, što je svedočilo o njihovoj starosti. Sećam se nekih naslova. *Biografija Sabataja Cevija* iz pera Solomona Lejba Kaca iz 1671. godine, *Istorija Sabataja Cevija* od Nahuma Brila, objavljena 1879. u Vilnu.

Moja prva istinska uzbuđenja upravo su povezana sa životom i delovanjem velikog mistika Sabataja Cevija i njegovog pratioca i savetnika Natana iz Gaze. Izuzetno mi se dopadala priča o velikom mistiku koji je pokrenuo čitav jevrejski svet i koji je na svojim proročkim putovanjima posetio mnoge od evropskih zemalja i gradova, nagoveštavajući skori dolazak Mesije.

Zatvoren u svom sobičku i obdaren golemom maštom, video sam sebe na tim putovanjima, sanjajući budan o takvom pustolovnom životu ispunjenom misijom koja mi je otkrila snagu uverenja i smisao postojanja svakog pojedinca.

Još kao sasvim mali postavio sam jednostavno pitanje na koje roditelji nisu umeli da odgovore, a pitanje im se verovatno učinilo i detinjasto i naivno: Zašto postoji čovek? To pitanje je na različite načine sazrevalo u meni i tražilo odgovor. Mnogo godina kasnije, život i sudbina Sabataja Cevija doneli su mi jednu vrstu odgovora koji možda ne bi svakoga zadovoljio ali mene jeste. Otkrio sam kosmički značaj svog postojanja i neophodnost da svojim delovanjem doprinesem pobedi nad zlom nastalom prilikom stvaranja sveta i uspostavljanja poretka pravednog sveta u kojem ni Jevreji više neće biti u stalnom izgnanstvu, galutu.

Cevi je svoje učenje i svoj pokret zasnovao na kabali Isaka Lurije o „razbijanju posuda", mističnom objašnjenju o progonu jevrejskog naroda i njegovom izbavljenju od prokletstva izgona.

Prilikom stvaranja sveta božanska svetlost krenula je u ponor praznine i ništavila da ga ispuni stvaralačkom svetlošću. Međutim, posude koje su primale svetlost nisu izdržale, razbile su se u paramparčad i svetom je zavladalo zlo. U duboke ponore demonskog pale su krhotine. Sve što se događa posledica je stanja posle razbijanja posuda. Svetovi su se srušili u veliku pometnju. Zlo će biti pobeđeno, a svet se vratiti u prvobitno zamišljeno stanje, Jevreji i njihov Bog izaći iz progonstva kada se posude obnove. U obnovi posuda učestvuje svaki Jevrejin svojim delima. Obnovom sveta dolazi spasenje.

Sve u svemu, živimo u nedovršenom svetu u kojem zlo dominira, u očekivanju sveta nade, dobrote i ljubavi. Ova pojednostavljena slika stvaranja i

popravljanja sveta postala je i moje životno uvere-
nje. A taj put, kako se moglo saznati i iz životne sud-
bine Sabataja Cevija bio je put iskušenja i onoga što
je nazvano „svetim grehom".

Ovde želim da napišem nekoliko rečenica o svom
ocu, koji je od ranog detinjstva za mene bio ideal pra-
vednika, pobožnog Jevrejina, veoma poštovanog. U
njemu sam na svoj detinji način video inkarnaciju
Sabataja Cevija. Otac mi je kada sam već postao puno-
letan otkrio da pripada tajnoj grupi sledbenika jevrej-
skog Mesije i da je put kojim ide put iskušenja velikog
mistika. Ali, da se vratim učenju o „svetom grehu".

Kada je godine 1666. od celokupnog jevrejskog
naroda priznati Mesija, Sabataj, stigao u Konstanti-
nopolj da skine krunu sa sultanove glave i proglasi
početak nove mesijanske ere i novog Kraljevstva na
zemlji, turske vlasti su ga uhapsile, ali ga nisu pogu-
bili kao što se očekivalo. Odveden je u zatvor u bli-
zini Galipolja. Nekoliko meseci kasnije Sabataj Cevi
je u prisustvu sultana napustio judaizam i prešao u
islam. Njegov verni sledbenik i inspirator Natan iz
Gaze objasnio je veličinu tog postupka: da bi se uče-
stvovalo u obnovi sveta nije dovoljno činiti samo
dobra dela nego se mora sići i u najtamnije dubine
gde prebiva najstrašnije zlo i suočiti se sa njim, ose-
titi strašnu sudbinu izgnanika. To je Mesija učinio.
Sišao je u sam pakao da bi ga dotakao svojom sve-
tošću. On je samo prividno postao Turčin, a zapravo

je više nego ikada bio Jevrejin. I otada je njegov život u dva sveta. Jedan svet je onaj koji će tek nastati, a drugi onaj koji jeste. Zlo se mora dodirnuti da bi se menjalo i savladalo.

Spominjem životnu priču Sabataja Cevija da bi se razumela moja životna priča. Bilo je onih, ne malo, koji su prihvatili njegova učenja i posle njegove smrti sledili njegov put, nekada javno, nekada tajno.

Ja sam, svakako, jedan od takvih.

Morao sam ovo spomenuti da bi se razumelo ono što sledi. Moj otac nikada u svom životu nije ništa činio iz kukavičluka, iz slabosti, sve što je činio bilo je iz iskrenog i stvarnog uverenja.

Tako je bilo i onog letnjeg dana 1942, kada su ga uhapsili i sproveli u Specijalnu policiju za Jevreje, kod Dragog Jovanovića lično. Srbija je već bila *judenfrei*, očišćena od Jevreja, posle streljanja u Topovskim šupama i likvidiranja logora na Sajmištu. Preostao je samo još manji broj onih kojima Gestapo i Specijalna policija nisu ušli u trag. Ti su se krili sa lažnim dokumentima, u skloništima, skrivani i čuvani od odanih prijatelja u stalnoj strepnji da će biti otkriveni. Bilo je malo onih koji su bili spremni da izlože riziku sebe i svoje porodice, skrivanje Jevreja značilo je smrtnu kaznu.

(Ovde sam prekinuo pisanje, prošla je ponoć i osetio sam iznenadni umor. Prevrtao sam se u krevetu, sav u znoju. Morao sam da popijem lek za smirenje.

Ali san mi nije dolazio na oči, samo delovi teksta kojim ću nastaviti svoju ispovest. Kako što ubedljivije, istinitije, napisati ono što sledi, opisati mirno, razumno, ubedljivo? I evo, ustajem pre zore, posle neprospavane noći da nastavim svoje pismo-testament, upućeno tebi, dragi prijatelju.)

Ne znam ko nas je prijavio, niti sam to otkrio do današnjeg dana. Bili smo, kako nam se činilo, zaboravljeni na periferiji grada, sa lažnim dokumentima, sigurni u svom skrovištu.

Dakle, otac je doveden pred šefa Specijalne policije. Nisu ga mučili, bili su pristojni koliko se to moglo u vremenima kada su Jevreji bili izvan svakog zakona. Otac je poznavao neke od policajaca, nekadašnje svoje sugrađane, sada gospodare života i smrti.

– Tražimo da nam pomognete, a zauzvrat, poštedećemo vašu porodicu.

Smestili su ga u samicu, da razmisli. Ostavili su mu čitav sledeći dan za razmišljanje. Više nego dovoljno. Ne, nije odlučilo to obećanje da ćemo majka i ja biti pošteđeni. To sigurno znam. Dobro sam poznavao oca. On je ovu ponudu razumeo kao poruku koja dolazi sa mnogo višeg mesta nego što je Specijalna policija za Jevreje. Nije doneo odluku ni radi svog spasa, ni radi nas, iako nas je voleo kao najbolji suprug i otac. Radilo se o spasu svih. Spasu čovečanstva, rekao bih. O tome, kao što je poručivao Natan iz Gaze, da se mora dodirnuti i dno, boraviti u samom paklu, da bi čovek izašao čist i neokaljan, kao božji grešnik, obeležen svetim grehom. Čovek ne može saznati šta je dobro dok ne sazna šta je zlo.

Najveća žrtva koju je otac dragovoljno prihvatio bila je da se zbog svetog cilja odrekne, u tom času, ne zauvek, svega onoga do čega je časnom čoveku posebno stalo: časti, ponosa, ugleda, da se odrekne svoje sujete. Jedini strah koji je osetio, kako mi je kasnije priznao, bio je strah od veličine žrtve koju je trebalo da podnese.

Prihvatio je ponudu.

Poznavao je sve viđenije članove naše nevelike zajednice u gradu. O praznicima je odlazio na službu u sinagogu. Ugledni Jevreji iz našeg ali i drugih gradova u zemlji, često su ga posećivali tražeći od njega savete, kao što je stari običaj da se savet traži od starijih, mudrijih i poštovanih. Kao što je bio običaj i u njegovom rodnom Lambergu, gde je u „sudnici" stolovao njegov otac, a moj deda, poštovani zadik. Često sam iz prikrajka slušao te razgovore zadovoljan mudrim očevim odgovorima.

Napustili smo skrovište i vratili se u svoj stan, u opustelu kuću. Naši susedi su nestali bez traga. Biblioteka je opljačkana. Nije više bilo knjiga o Sabataju Ceviju i mnogih drugih. Ali njegov duh živeo je i dalje u našoj kući.

Rano ujutro dolazila je limuzina po mog oca. Oblačio je svoje najbolje odelo. Pred kućom su ga čekali agenti. Sa njima je odlazio na „posao". Zaustavljali su se na železničkoj i autobuskoj stanici. Sačekivali odlaske i dolaske putnika: moj otac je imao samo jedan zadatak – da prepozna Jevreje sa lažnim dokumentima, da pokaže prstom, a žandarmi i Gestapo trebalo je da obave ostatak posla. Ne znam koliko puta je to učinio, naših sunarodnika preostalo je veoma malo, ali trgovina lažnim dokumentima omogućavala je i tim malobrojnima da se provlače kroz mreže različitih provera.

Svejedno. Postao je ono što se zvalo „saradnik okupatora", doušnik, prodana duša. Znam da nije bio ništa od toga, samo „sveti grešnik", sledbenik učenja Sabataja Cevija, duboko uveren da je i njegova žrtva, njegov dodir sa najgorim zlom, samo način da se zlo savlada. Video sam suze u njegovim očima posle kasnog večernjeg povratka kući. Žrtvovao je sebe, ali je obeležio i nas, majku i mene.

Nekoliko puta sam krišom napuštao kuću i uhodio oca i njegove pratioce. Stajao je na ulazu u železničku stanicu, svetac i grešnik, plaćajući najvišu cenu za užasan čin podlaštva. Da li je to iko mogao da razume, ako sam i ja, njegov rođeni sin, osećao to kao ogromno zlo koje je činio i sebi i drugima. Razumeti, znači i opravdati. Ja sam ga donekle razumeo, jer je Sabataj Cevi živeo u meni kao i u njemu, ali sam se i stideo, toliko da nisam imao snage da ga pogledam u oči kada se vraćao kući.

To je moja priča, dragi prijatelju, koju sada otkrivam i tebi. Otkrivam istinitu priču o sebi i svojoj

porodici. Dužan sam to i godinama našega prijatelj-
stva, kada smo jedan drugom poveravali najintimnije
misli, ali ponešto nije izgovoreno, kao što se nikada
i do kraja sve ni ne može reći. Majka nije podnela
veličinu ove monstruozne očeve žrtve. Nervi su joj
popustili. Umrla je u azilu za duševne bolesnike. Otac
se ubio pred sam kraj rata, odbijajući da se pridruži
u bekstvu onima sa kojima je sarađivao u užasnom
uverenju da je to deo cene sveopšteg iskupljenja.

Pre toga pribavio mi je falsifikovana dokumenta,
novo ime, da otpočnem život kao neko ko se samo
čudom spasao od uništenja. Da nastavim život sa
lažnom biografijom.

Oprosti što sam te obmanjivao. Dugo je trebalo
da shvatim da se, evo, toliko godina od vremena Šoe
malo toga promenilo. Gotovo ništa, ljudi se i dalje
ubijaju, nevini stradaju. Odlučio sam da nestanem,
da uništim sve tragove, da izbrišem u plamenu sve
svoje zablude i samog sebe.

Ostavljam samo ovaj zapis. Smiluj se mojoj duši,
mojim gresima. Ne, „sveti greh" ne postoji, niti silazak
do samog praiskonskog zla doprinosi popravljanju
sveta. Zlo je stostruko moćnije i jače od svakog dobra.
Osuđeni smo na večni galut, na večno izgnanstvo.

Molim te, dragi prijatelju, na ovaj dan, na Jom
kipur, dan molitvi za priznanje, ispovedanje i opro-
štaj grehova, izgovori molitvu i za spas moje duše.

Osamnaesto poglavlje

Sve ovo liči na halucinaciju.

Miša Volf je saslušao Albertovu priču.

– Vaš posetilac je, dakle, ona tajanstvena ličnost koja vas je pratila?

– Čini se da je tako. Verujem da je tako. Prepoznao sam glas koji me je pozivao noću.

– I pustili ste ga da uđe, a onda da ode tek tako?

– Pustio sam.

Profesor se nasmejao. – I nije nikakvo čudovište? Neko ko dolazi sa onog sveta? Sa druge planete?

– Ne znam ko je i šta je. Nije govorio o sebi. Niti sam ga pitao.

– A vi ste u njemu, priznajte, videli samog đavola. Mora da ste se razočarali.

– Možda i jeste bio Sotona. Ili neko njegov.

– Ma, haj'te, Alberte. Oslobodite se tih vaših fantazmi.

Albert je zaćutao. Oklevao je da li da profesoru muzike ispriča celu istinu. Ni reči o Solomonu Leviju, odnosno Solomonu Rubenoviču, o naslednicima Sabataja Cevija, o svetosti i čudovišnosti zla. To je priča koju je zadržao za sebe, koju malo ko može sasvim razumeti, jer je ni on nije do kraja razumeo.

Miša Volf ustade, ode do police sa knjigama koja je pokrivala čitav jedan zid, od poda do tavanice. Tražio je nešto pogledom. Iz police izvuče svesku, „kupusaru", sa mnoštvom umetnutih stranica.

– Ovde sam zapisivao neka svoja iskustva. I iskustva drugih.

Pronašao je jednu stranicu.

– *Neke misli kojih nismo svesni mogu se pretvoriti u duhove.* Tako je pisao De Kvinsi – zaćutao je za trenutak.

– Zato, dragi moj, nemamo pravo da kažemo: Ovo nije istinito, takve stvari se ne događaju. Sve se to događa u našim glavama. I dobro i zlo. Sve te prikaze, vampiri, vukodlaci, zlo koje ima svoj oblik, svoje telo, sve je to u našim glavama.

Ako je očekivao Albertovu saglasnost, nije je dobio. A Albert je imao utisak da ni profesor muzike baš do kraja ne veruje svojim rečima, da njegovo odbijanje da se suoči sa demonskim silama dolazi iz kukavičluka, iz straha od onoga što bi mogao otkriti.

– I vaš slučaj, slučaj našeg zajedničkog poznanika Solomona Levija i svi slični slučajevi generacije koja je sve malobrojnija, na zalasku, uskoro više neće biti živih svedoka onog ogromnog zla pod čijom smo senkom preživeli, sve to spada u oblast psihijatrije. I oni koji su nam činili zlo i mi koji smo to zlo osetili. Zla nema bez ljudi, zapamtite to i odbacite sve te priče o metafizici zla i slično. Što se mene tiče, zlo je neka vrsta ludila, bolesti, neka devijacija, opsesivna potreba za destrukcijom. Priroda nije savršena, složićete se. To kažem, dragi Alberte, da vas oslobodim vaših fantazmagorija kojima ste skloni i koje se iz vaših ličnih trauma pretvaraju u neku vrstu mitskih čudovišta. Bolesti jesu opasne i ludilo jeste opasno, ali čovek može da kontroliše i jedno i drugo.

Albert je pognuo glavu, nije znao šta da odgovori.

Miša Volf je zapovedio odlučnim glasom: – Odmorite se malo. Idite na neko vreme iz grada. To vam je potrebno. Promenite sredinu – glas mu postade gotovo molećiv. – Poslušajte me.

Albert je jedno vreme oklevao sa odgovorom. Onda klimnu glavom. Stegnu ruku prijatelju.

– Svakako. Verovatno ste u pravu. Možda je to način da se oslobodim svojih noćnih mora.

* * *

U svoj dnevnik Albert Vajs zapisuje:

Sve ovo počinje da liči na halucinaciju ili je zaista prava halucinacija, fantazmagorija, nema pravog naziva za takvo nešto. Neizdrživo osećanje krivice zbog mog brata Elijaha. Moja krivica je što ga nisam našao, što sam ga ostavio u onoj ledenoj noći. Čitav život, od rođenja do danas pretvorio se u očajničko snoviđenje.

Bilo kako bilo, savet koji sam prihvatio je: odlazak, putovanje, oslobađanje od paranoje u kojoj živim, izvlačenje, makar privremeno, iz ove ljušture, ove sredine koja me sve više opterećuje, pritiska do eksplozije. Bekstvo od prikaza, ako su prikaze, koje me ne ostavljaju na miru.

Pregledao sam turističke ponude. Jedna je privukla moju pažnju:

Obnova putovanja Orijent ekspresom*!*

4. oktobra 1883. parna lokomotiva krenula je sa železničke stanice u Strazburu, vukući vagone na put u udaljenu Rumuniju. Taj voz nazvan je Orijent ekspres i poveo je na put četrdeset putnika, posebnih gostiju.

Kompanija je uskoro postala poznata ne samo zbog zanimljivog putovanja nego i zbog visokog kvaliteta takvog putovanja.

Poznate ličnosti, aristokrate i mnogi zname-
niti ljudi putovali su Orijent ekspresom *u Beč,*
Budimpeštu, Bukurešt, u gradove koji su pred-
stavljali samo srce Evrope.

Legenda je povezala ovaj voz i putovanja sa
mnogim nerazjašnjenim tajnama i misterijama.

Obnavljamo slavu Orijent ekspresa. *Naj-*
udobnija putovanja za najbolju klijentelu!

Epilog

Kroz tamu noći
Kroz predele obasjane mesečevom svetlošću
Prolazeći bez stajanja pored usnulih stanica
Juri voz.

Albert Vajs je u vozu.

U desnoj ruci još drži voznu kartu. Presavija kartu i pažljivo je stavlja u džep. Na karti je zabeležen broj njegovog sedišta. To je važno jer ima slučajeva da birokrate na železnici ponekad izdaju dve istovetne karte za jedno mesto.

Izgled kupea i putnici u njemu deluju sasvim pristojno. Sva sedišta su popunjena. Dvanaest sedišta i dvanaest putnika.

Pokušava da se priseti da li taj broj ima neko simboličko ili mistično značenje. To je broj Božjeg

naroda. Dvanaest Jakovljevih sinova su preci istoime-
nih plemena hebrejskog naroda. Nebeski Jerusalim
ima dvanaest vrata. Broj dvanaest deli svet dobra od
sveta zla. Albert istovremeno pomisli kako je glupo u
svemu tražiti simboliku. Stvari su jednostavno takve
kakve su, kako reče profesor Miša Volf, obično bez
dubljeg značenja.

Ovaj put njegovih misli prekida piskutavi glas
čoveka koji sedi do njega. Pokazuje mesinganu tablu
iznad sedišta, sa natpisom:

> *The remaining car was constructed by the*
> *Pullman Car Company at its Longhedge*
> *Works in South London.*
> *The livery applied by the Pullman Car*
> *Company was as applied to the South Eastern*
> *& Chatham Railways.*

Čuvena kompanija garantuje sigurnost i udobnost
putovanja, jer, kako zadovoljno objašnjava putnik,
ovakvi vagoni više se ne proizvode, osim za avantu-
ristička putovanja kakvo je ovo. Sve je tako udešeno
da se putnici osećaju udobno i sigurno na putovanju
koje će ih podsetiti na neka vremena kada se na udob-
nost i te kako pazilo, na stara, dobra, sigurna vreme-
na. Sedišta se jednostavno pretvaraju u postelje, a u
uglu vagona je i mala kuhinja u kojoj se može spre-
miti čaj ili nešto slično, korisno i za majke sa malom

decom. A upravo u ovom njihovom kupeu nalazi se bračni par sa dva deteta. Dečak od pet godina priljubio je lice uz prozorsko okno, a devojčica ne starija od dve godine stisla se uz majku, zastrašena od ravnomernog kloparanja točkova i povremenih zvižduka lokomotive koji upozoravaju, opominju, kako je to već predviđeno pravilima železnice. Dok muškarac sklapa oči željan sna, ženine oči su širom otvorene, preko dečakove glave zuri u noć kao da je obuzima neka slutnja. Sve majke, misli Albert, obuzete su slutnjama i strepnjama: sačuvati i othraniti decu, načiniti od dece slobodne i ponosite ljude. Savladati sve bolesti, nesreće, jer sve radi protiv ljudi. Tako misli Albert.

Kroz tamu noći
Kroz predele obasjane mesečevom svetlošću
Prolazeći bez stajanja pored usnulih stanica
Juri voz.

Tek sada Albert obrati pažnju na putnika koji preko ramena prebacuje molitveni šal talit bele boje sa plavim i crnim prugama na oba kraja i resama. Glavu pokriva kipom i izgovara molitvu čije reči se teško razaznaju. Čuje se samo njegovo mrmljanje i jednolična buka točkova.

Jevrejin završi sa obredom i vraća u torbu kipu i šal. Uhvati znatiželjan pogled čoveka sa piskutavim glasom.

– Jeste li vernik? upita ga Jevrejin. Čovek odmahne glavom. – Ja sam ateista.

Starac se nasmeši. – Kažete: ateista. Znači, ni u šta ne verujete?

– Verujem samo u ono što mogu razumeti.

– E, pa to objašnjava zašto ni u šta ne verujete!

Za trenutak obojica zaćute. Onda će ateista: – U šta više možemo verovati posle svega? Bog ne postoji kada je dopustio da njegov izabrani narod strada.

– Vi ste, znači, Jevrejin koji ne veruje.

– Tako je, gospodine. Znate li onu priču o rebiju iz Sadigore? Govorilo se kako se svake subote Svevišnji spušta sa neba da bi izgovarao svete molitve sa rebijem. Jedan koji je sumnjao u tu priču, pitao je onog ko je tu priču širio otkud zna da se takvo nešto događa. 'Nema nikakve sumnje' odgovorio je upitani. 'Sam rebi to potvrđuje.' 'Ali, otkud znaš da rebi govori istinu?' 'Zar misliš da bi Svevišnji ikada imao bilo šta sa lažovom?'

Čovek koji je sedeo u uglu kupea, elegantno obučen kao da ide na neku svečanost, obrisa maramicom vlažno čelo. Do tada se činilo da drema, da je nezainteresovan za saputnike.

– Zar ne primećujete, gospodo – progovori iznenada – kako postoji nešto zastrašujuće u noćnim putovanjima?

Njegovo bledo lice i uska ramena, uprkos njegovoj eleganciji, odavali su utisak nekoga čije je zdravlje narušeno.

– Evo, pogledajte kroz prozor. Noć, noć svuda, tama koja sve pokriva, polja, brda, sve je uvijeno u tu neprozirnu tamu – nasmeja se. Smeh mu je više ličio na hroptanje nego na stvarnu veselost.

I zaista, noć je svuda. I u dušama ovih ljudi koje je sudbina spojila na ovom romantičnom putovanju u srce Srednje Evrope, i koje umesto radosti putovanja sve više ispunjava neobjašnjiva strepnja. Ne zna se ni zašto ni zbog čega. I umesto da razgovaraju o starini i lepoti srednjoevropskih gradova, predelima koji će sa izlaskom jutarnjeg sunca zadiviti oči, ova skupina ljudi razgovara o nesrećama sopstvenim i tuđim, sa sve manje bezbrižnosti, ako su je uopšte ikada i imali.

A da je već svanulo, da mogu videti pejzaž kroz koji voz prolazi, možda bi njihova strepnja dobila svoje opravdanje. Voz *Orijent ekspres* juri novim tek postavljenim tračnicama, pored porušenih i popaljenih staničnih zgrada. Ne treba se baviti politikom ili logikom, niti se razumeti u odnose među narodima i državama da bi se postavilo pitanje: Zašto je rušeno, kada se jednog dana mora obnavljati? Svako razuman postavio bi to pitanje, ne samo putnici na nostalgičnom putovanju legendarnog voza.

Pošto se noć pretvorila u noć ispovesti, javio se i putnik koga su svi već zapazili po nervoznim kretnjama. Svaki čas ustaje, otvara vrata kupea, zagleda pust hodnik vagona. On, kako će uskoro čuti ostali saputnici, boluje od opsesivno-kompulzivnog poremećaja, veruje kako je jedini krivac za jednu veliku nesreću u Indiji u kojoj su klizišta uništila čitava sela i kada je stradalo mnogo ljudi. Tumači kako do te velike katastrofe ne bi došlo da na taj dan nije izašao iz kuće i prešao ulicu van pešačkog prelaza. Uvek je uredno prelazio ulicu na istom obeleženom mestu, samo tog puta nije. Sve je sa svime povezano i svaki naš pokret, svaki postupak izvan onoga što je uobičajeno i dozvoljeno, dovodi do neočekivanih poremećaja, često i kataklizmi. Pre ove katastrofe, kaže, bio je sasvim normalna osoba. Sada živi sa ogromnom krivicom za smrt velikog broja ljudi. I dok *Orijent ekspres* juri nesmanjenom brzinom kroz noć, u ovoj skupini putnika koje je sudbina spojila odjednom počinje nešto da se događa. U ljude se uvlači strah.

Otkriveno je, u eksperimentima na miševima, a posle dokazano i na ljudima da su čulni organi detektori straha. A otkud strah dolazi, to ni naučnici nisu mogli da otkriju. Čula samo upozoravaju da situacija ubrzo može postati ugrožavajuća, opasna.

Na vratima kupea pojavi se kondukter. Na sebi ima uniformu kakvu su nekada, u stara vremena, nosili pripadnici njegove profesije. Preko ramena je prebacio klasičnu konduktersku torbu, takođe iz nekadašnjih vremena, u karakterističnom stilu *Orijent ekspresa.*

Učtivo je pozdravio putnike i zamolio ih da pripreme karte za pregled. Svi putnici, među njima i

Albert, spremno su dočekali ovaj poziv i pružili karte. Samo su čovek i žena sa dva deteta nervozno pretraživali prtljag.

Kondukter ih blagonaklono opomenu: – Bez nervoze, molim. Nikuda nam se ne žuri.

Na kraju i oni pronađoše karte. Kondukter je svojom mašinicom poništio karte. Činilo se u prvi mah da je nezainteresovan za razgovore koje su vodili putnici. Ali kada putnik sa piskutavim glasom pokrenu priču o tome kako svet počiva na ljudskoj solidarnosti i savesti pojedinaca, on poče pažljivo da sluša. U jednom trenutku, što je bilo neočekivano a i neuobičajeno, kondukter se uključi u razgovor.

– Vi ste, dragi gospodine, u potpunoj zabludi. Vaše reči su reči jednog zaludnog pacifiste koji veruje u pravedan poredak stvari. Naš svet ne menjaju oni koji u njemu traže red, pravednost, mir. Naš svet menjaju upravo oni za koje se kaže da su 'ljudi bez savesti'. Oni koji su lišeni samilosti i vladajućeg morala. Na savest i pravednost pozivaju se samo slabići. To je, dozvolićete, moje duboko uverenje. Srećom po čovečanstvo, blizu deset procenata stanovništva čine ljudi bez savesti, spremni na sve.

Piskutavi se uzbudio. Glas mu se pretvorio u šištanje što je odavalo njegovo prekomerno uzbuđenje.

– Ne, vi ste u zabludi. Ljudi bez savesti su skrivene psihopate, dobro prilagođene sredini u kojoj žive sve do onog časa kada u određenim okolnostima otkriju svoju pravu prirodu, nasilničku, bezdušnu, potpuno odsustvo empatije, nesputanu agresivnost... Ljudi bez savesti su po prirodi stvari patološki zločinci.

Kondukter se prezrivo nasmeja.

– Vi ste, poštovani gospodine, jedan od onih koji bi zauvek zadržao postojeće stanje stvari. Postojeće stanje u kojem ste sigurni i koje biste takvo kakvo je zadržali sledećih stotinu a možda i hiljadu godina... – načini grimasu. – A da bi se svet menjao, naravno da se čine i zločini, spaljuju se sela i gradovi, ubijaju civili... Sve je to cena promena, bez kojih ne bi bilo napretka...

– Napredak? Kakav napredak! U zlu, činjenju zločina...

Piskutavi je zaustio da još nešto kaže, ali kondukter samo odmahnu rukom, ne želeći da se upušta u dalju polemiku.

– Molim, približavamo se tunelu. Na vreme zatvorite prozore!

Kroz tamu noći
Kroz predele obasjane mesečevom svetlošću
Prolazeći bez stajanja pored usnulih stanica
Juri voz.

Dug pisak lokomotive. Voz ulazi u tunel. Svetla u kupeu se gase. Negde u sistemu došlo je do kvara. Ali kome se putnici mogu požaliti? Prepušteni su sami sebi i panici koja ih postepeno obuzima. Kao da prolazak kroz tunel traje čitavu večnost. Niko ništa ne govori. Samo animalni strah raste: od potpune tame, bez zvezda, bez mesečine, od utrobe planine kroz koju voz tutnji. Dečak zaplače: „Mamice, zašto nema svetla?" Slabi plamen šibice začas osvetli zabrinuta lica putnika. Tek sada se neko seti da zatvori prozor kroz koji dopire oštar miris dima izazivajući kašalj i otežano disanje. Slabašna svetlost kratko traje. Onda opet potpuni neprozirni mrak.

Konačno, voz izlazi na svetlo dana. Ulazi u snežno jutro, belina u kojoj se odjednom nalaze deluje čudno, nestvarno. Polja su pokrivena snegom, sablasne planine u daljini naziru se u jutarnjoj izmaglici.

Albert je protrljao oči. Iznenadna belina izaziva oštar bol u glavi. Voz usporava, lokomotiva brekće boreći se sa smetovima. U prospektu putovanja, koliko se Albert seća, nigde se ne spominje mogućnost vremenskih neprilika.

Onaj iz ugla kupea, sa rošavim, oznojenim licem koje stalno briše maramicom, vadi iz svoje torbe knjigu. U nekoj vrsti blagog zanosa čita odlomak iz *Jučerašnjeg sveta* Stefana Cvajga: *Nije bilo zemlje u koju bi se dalo pobeći, mira koji bi se mogao kupiti, uvek i na svakom mestu grabila nas je ruka sudbine i potezala nas ponovo u svoju nezasitu igru.*

Albert poželi da se pobuni. Zašto taj odlomak? Ima toliko drugih rečenica vrednih da se citiraju. A rošavi se smeje grubim, skoro ludačkim smehom:

– Ne, mi se nismo slučajno sreli ovde, na ovom mestu. Mi smo gubitnici. Ovaj svet je za nas svet Satane.

Dečak ne prestaje da plače. Majka uzalud pokušava da ga smiri. Svi govore u isto vreme. Albert više ne razaznaje reči. Svi ti glasovi, unjkavi, piskutavi, oštri, odraslih i dece prave užasnu buku. I kloparanje točkova.
Bum-čiha-bum-bum-čiha-bum.

Albert ne može da podnese tu buku za koju više ne zna da li je stvarno u kupeu ili u njegovoj glavi.

Izlazi u hodnik, ali buka ne prestaje. Pritiska uši, ali se buka ne utišava, nego biva sve jača. Proviri kroz vrata drugog kupea. Prepozna neke od putnika: Urijel Koen, poluzatvorenih očiju u sivom flanelskom odelu, proćelavi Miša Volf sa futrolom za violinu na kolenima, društvo iz Njujorka, iz hotela *Meriot*, napuštena, ostavljena deca Srednje Evrope. Kakav čudan slučaj, neočekivana koincidencija. Svi u istom vozu, na istom putovanju! Nisu rođeni pod srećnom, nego pod nesrećnom zvezdom. Samo ih ta nesreća spaja.
Bum-čiha-bum-bum-čiha-bum.

Pokušava da otvori vrata kupea i pridruži im se. Vrata su zaključana. Uzalud lupa pesnicom. Oni ne čuju njegovu lupu, zamišljeni, zagledani u sebe, ne primećuju ga.

Dolazi do kraja vagona, otvara vrata koja vode u drugi vagon.

Huk voza u pokretu izmeša se sa bukom koja ga proganja, a hladni zimski vazduh, vetar i snežne pahuljice začas učine da zadrhti i požuri da otvori vrata drugog vagona. Nađe se u polumraku, zapahne ga težak miris ljudskih tela, nagazi na nečiju ruku, začuje jauk, brzo povuče nogu, ali opet zapne o nečije telo. Nema mesta da napravi nijedan korak. Na podu leže ljudi, čuje se stenjanje, prigušeni jauci.

Turističko putovanje pretvara se u noćnu moru. Pulmanov vagon u vagon za stoku.

Iznenada, *Orijent ekspres* usporava. Albert se nekako privuče do drvenog zida vagona i kroz dve sasvim malo razmaknute grede kroz koje se probija slabi zrak svetlosti ugleda malu provincijsku stanicu ispunjenu ljudima koji se kreću levo-desno kao senke. Nose zavežljaje, loše su obučeni za uslove koji napolju vladaju. Čuju se oštri, nerazumljivi, preteći, glasni povici, lavež pasa. Vojnici u uniformama postrojeni su duž puta. Voz staje uz dug, otegnut pisak lokomotive. Otvaraju se vrata vagona, dah ledene hladnoće probija se u njegovu unutrašnjost.

Nalazi se na provincijskoj stanici, istoj onakvoj kakvu je video u snu. Nečitljiv naziv stanice, ispod prljavih prozora sa kojih stanični službenici bulje u perone, neka izobličena lica sličnija životinjskim nego ljudskim. Sa zidova zgrade železničke stanice otpada malter, sve je u raspadanju. Samo, sada ovo nije san nego java. I stanica nije pusta, nego ispunjena mnoštvom ljudi u koloni koji u pratnji naoružanih pratilaca kreću već utabanom stazom prema masivnim, železnim logorskim vratima širom otvorenim.

A iznad vrata natpis: *ARBEIT MACHT FREI*.

Skriveni poredak

Albert je zatvorio oči. Tako se postaje nevidljiv. To je onaj neverovatni trik o kojem je govorio otac. Dostojan rođaka, slavnog Hudinija, najvećeg majstora svih vremena za bekstva iz najsloženijih situacija!

– Ovaj naš svet nije baš neko savršeno mesto za život – govorio je otac. – Kada si u nekoj velikoj nevolji samo zatvori oči i pričekaj malo.

I, evo, zaista. Nije više u koloni. Nalazi se u belini snežnog pejzaža i doziva Elijaha. Elijah se iz daljine odaziva svojim detinjim, zvonkim glasom. Iz snežnog neba koje se rastvara sleće beli konj sa glavom psa, a na njemu, čvrsto se držeći za grivu zveri, pognuo se Elijah. Konj sa psećom glavom bešumno se spušta na snežnu poljanu. Elijah potrči bratu u zagrljaj.

To je onaj trenutak sreće i iskupljenja o kojem je Albert sanjao, zbog kojeg je vredelo živeti i čekati.

Hodaju, držeći se za ruke. Elijah sa ljubavlju gleda u svog starijeg brata.

Ispred njih je beskrajna snežna ravnica.

Iz jutarnje magle izranjaju poput senki dve ljudske prilike. Otac i majka. Žure jedni prema drugima. Opet su zajedno. Isak i Sara grle svoje dečake Alberta i Elijaha. Niko ih nikada više neće razdvojiti. Niko, nikada.

To je sve što je želeo, svet bez bola, nepravdi, očajanja. Bez zla.

Postoji takav svet. U jednom drugačijem, skrivenom poretku stvari.

Albert se ne usuđuje da otvori oči. A u glavi buka postaje sve jača.

O autoru

Filip David (1940, Kragujevac). Diplomirao je na Filološkom fakultetu (Jugoslovenska i svetska književnost) i na Akademiji za pozorište, film, radio i TV (grupa Dramaturgija). Književnik, dugogodišnji urednik Dramskog programa Televizije Beograd i profesor dramaturgije na Fakultetu dramskih umetnosti u Beogradu. Jedan od osnivača *Nezavisnih pisaca*, udruženja osnovanog 1989. u Sarajevu koje je okupljalo najznačajnije pisce iz svih delova bivše Jugoslavije, osnivač *Beogradskog kruga* (1990), udruženja nezavisnih intelektualaca, *Foruma pisaca* i član međunarodne književne asocijacije *Grupa 99* osnovane na Međunarodnom sajmu knjiga u Frankfurtu. Napisao je više TV drama i filmskih scenarija. Objavio knjige pripovedaka: *Bunar u tamnoj šumi, Zapisi o stvarnom i nestvarnom, Princ vatre, Sabrane i nove priče*; romane: *Hodočasnici neba i zemlje* i *San o ljubavi i smrti*; knjige eseja: *Fragmenti iz mračnih vremena, Jesmo li čudovišta, Svetovi u haosu.* Zajedno sa Mirkom Kovačem objavio *Knjigu pisama 1992–1995.* Pripovetke i romani su između ostalih dobili nagrade: *Mladosti, Milan Rakić, BIGZ*-ovu i *Prosvetinu* nagradu za knjigu godine, kao i *Andrićevu nagradu.*

Knjige su mu prevedene na švedski, francuski, poljski, mađarski, italijanski, albanski, esperanto, makedonski, slovenački, objavljene u Hrvatskoj, a pripovetke se nalaze u dvadesetak antologija.

Filip David
KUĆA SEĆANJA I ZABORAVA

Za izdavača
Dejan Papić

Urednik
Igor Marojević

Lektura i korektura
Jelena Vukmirović
Aleksandra Vićentijević

Slog i prelom
Igor Škrbić

Štampa i povez
Rotografika, Subotica

Izdavač
Laguna, Beograd
Resavska 33
Klub čitalaca: 011/3341-711
www.laguna.rs
e-mail: info@laguna.rs

CIP – Каталогизација у публикацији
Народна библиотека Србије, Београд

ДАВИД, Филип, 1940–
    Kuća sećanja i zaborava / Filip David. - 3. izd. - Beograd : Laguna,
2015 (Subotica : Rotografika). - 190 str. ; 20 cm. - (Biblioteka Meridijan
; knj. br. 46)

Tiraž 30.000. - O autoru: str. 189–190.

ISBN 978-86-521-1749-9

821.163.41-31

COBISS.SR-ID 212594188